Lectures du désir

Ouvrages de Raymond Jean

AUX MÊMES ÉDITIONS

Nerval
coll. « Ecrivains de toujours », 1964

Eluard
coll. « Ecrivains de toujours », 1966

La Vive
roman, 1968

Pour Gabrielle
Introduction aux Lettres de prison *de Gabrielle Russier*
1970

Les Deux Printemps
roman, 1971

La Ligne 12
récit, 1973

La Femme attentive
roman, 1974

La Fontaine obscure
roman, 1976

CHEZ ALBIN MICHEL

Les Ruines de New York
roman, 1959

La Conférence
roman, 1961

Les Grilles
roman, 1963

Le Village
roman, 1966

La Littérature et le Réel
essai, 1965

Raymond Jean

Lectures du désir

Nerval, Lautréamont
Apollinaire, Eluard

Éditions du Seuil

EN COUVERTURE

Max Ernst, *Retour de la belle jardinière* (1967, détail).
Coll. D. et J. De Menil, photo Lauros-Giraudon.

ISBN 2-02-004718-7

Introduction

I

Ce livre rassemble des travaux divers sur Nerval, Lautréamont, Apollinaire, Eluard. Ils ont en commun d'avoir été conduits dans une même période — les dix dernières années — et de relever d'un même effort de réflexion et de recherche. Mieux, de répondre à une même visée. Cette visée, pendant longtemps nous ne l'avons pas perçue clairement. C'est dans une « pratique » que nous avons été amené à en prendre conscience. Le seul fait que nous étions appelé, par les circonstances aussi bien que par des choix précis, à étudier, à *lire* ces quatre poètes, à interroger leurs œuvres, et cela presque simultanément, en tout cas dans le cadre d'une même activité, ne pouvait pas s'expliquer par le seul hasard et devait bien signifier quelque chose.

Signifier quoi ? Il est sans doute bien imprudent de se mettre dans le cas de donner un *sens* — qui pourra toujours paraître *a posteriori* — à une entreprise qui, s'éloignant des formes universitaires traditionnelles et réunissant dans un même ensemble des « contributions » différentes, semble par là même avoir besoin de justifier son unité. Pourtant, cette unité s'est imposée à nous. Pour la désigner, nous nous référons à la notion de *désir*. Cette notion, que l'on voit souvent mettre en avant sous une forme ou une autre aujourd'hui, n'est sûrement pas claire (et nous nous proposons, dans cette introduction, de l'élucider au moins partiellement), mais elle est, en ce qui nous concerne, absolument « opératoire ». Du dehors : elle rend compte de l'*attirance* que nous avons pu éprouver pour ces auteurs plutôt que pour d'autres et qui a pu nous conduire à les situer dans une même perspective de recherche. Du dedans : elle indique que Nerval, Lautréamont, Apollinaire et Eluard, si différents que soient leurs langages et leurs « projets », illustrent, à nos yeux, une position commune, et parfaitement exemplaire, par rapport à ce qu'on pourrait appeler l'*intention* fondamentale de tout acte d'écriture. Cela, nous le ressentons fortement et nous aimerions, ici, tenter de le montrer.

L'intervention du *désir* dans la création littéraire n'est pas une donnée nébuleuse et abstraite qui recouvrirait quelque chose d'inconsistant. Au contraire, il y a des chances — on commence à s'en convaincre — que ce soit une des rares notions qui permettent d'éclairer un peu sérieusement une forme de « production » dont on a toujours échoué à définir le pourquoi. Cela, pour la simple raison qu'elle la saisit dans son *origine*, son *émergence*, et non dans ses finalités ou ses motivations. Elle apporte en ce sens sur la nature du texte littéraire des informations beaucoup moins idéalistes que d'autres notions en apparence plus objectives. Et elle nous impose de considérer que la connaissance du *réel*, en ce domaine, ne saurait relever totalement de procédures scientifiques. L'ordre du désir, en effet, n'est pas celui de la nature.

On peut le comprendre en se référant d'emblée à un texte de Tzvetan Todorov, dans une étude très éclairante sur Benjamin Constant. Nous parlant du désir qui pousse Adolphe vers Ellénore en dépit de nombreux obstacles, Todorov découvre, au fil de son analyse, que ce désir n'est pas seulement le thème du récit de Constant mais la logique profonde de son texte : « On peut maintenant rétablir sans mal la relation profonde entre parole et désir. L'une et l'autre fonctionnent d'une manière analogue. Les paroles impliquent l'absence des choses, de même que le désir implique l'absence de son objet ; et ces absences s'imposent malgré la nécessité ' naturelle ' des choses et de l'objet du désir. L'une et l'autre défient la logique traditionnelle qui veut concevoir les objets en eux-mêmes, indépendamment de leur relation avec celui pour qui ils existent. L'une et l'autre aboutissent à l'impasse : celle de la communication, celle du bonheur. Les mots sont aux choses ce que le désir est à l'objet du désir [1]. » Cette dernière proposition pourrait bien expri-

1. Tzvetan Todorov, « La parole selon Constant », in *Poétique de la prose*, coll. « Poétique », éd. du Seuil, p. 116.

mer le principe agissant qui est à l'origine de tout texte littéraire, nécessairement constitué à partir d'une absence, d'un vide que l'écriture a pour fonction de remplir. Si le *desiderium* est le besoin, le « manque » qui imposent à cette fonction de s'exercer, il est clair que le langage se mettra en mouvement pour atteindre un objet qui n'existe d'abord que par cette absence. « Il faut déchiffrer, dit Jean Starobinski, *dans l'œuvre* la nature spécifique d'un désir, d'un pouvoir (d'un génie) qui a cherché à s'atteindre lui-même et à s'attester en donnant naissance à l'œuvre [1]. » Ce *désir* initial est sans doute l'une des plus sûres données qui permette de rendre compte de la jonction qui s'accomplit entre le *vécu* et l'écriture dans un acte littéraire, l'une articulant le « projet désirant » de l'autre, et résolve ainsi dialectiquement l'éternelle et tenace contradiction entre la chose dite et la forme dans laquelle elle est dite.

Il se peut d'ailleurs qu'il s'agisse du désir tout court, dans sa nature proprement sexuelle. On le verra d'une manière évidente dans le cas d'Apollinaire et d'Eluard, et peut-être serait-ce ici le lieu de rappeler que seules les nécessités d'une approche « scolaire » de la littérature ont masqué traditionnellement la part immense de l'*eros* dans la vie et l'œuvre des écrivains. En ce sens la littérature joue un rôle de révélateur pour ce qui concerne le monde du désir. C'est encore Jean Starobinski qui écrit : « Les poètes donnent une voix particulièrement éloquente à l'aventure du désir, sans toutefois en expliciter la loi intérieure : ils offrent au 'savant' un matériau privilégié, tant il accentue le mouvement du désir, tant il lui confère de valeur exemplaire [2]. » Le savant ici désigné est vraisemblablement le psychanalyste et il serait, bien entendu, important de poser d'emblée la question des rapports de la psychanalyse et de l'écriture. Mais on sait qu'elle a été posée par de nombreux travaux modernes au premier rang desquels figurent ceux de Jacques Lacan, et notre propos n'est pas d'entrer ici dans le vaste champ de recherche qu'ils ont ouvert. Rappelons simplement que si Lacan insiste sur l'idée que la relation de désir est fondamentalement une relation à l'Autre, il conçoit cela selon une double direction : « C'est en effet très simplement, et nous allons dire en quel sens,

1. Jean Starobinski, « Le sens de la critique », in *la Relation critique*, coll. « Le Chemin », éd. Gallimard, p. 24.
2. Jean Starobinski, « Psychanalyse et littérature », *ibid.*, p. 267.

comme désir de l'Autre, que le désir de l'homme trouve forme, mais d'abord à ne garder qu'une opacité subjective pour y représenter le besoin... Mais aussi en y ajoutant que le désir de l'homme est le désir de l'Autre, où le *de* donne la détermination dite par les grammairiens subjective, à savoir que c'est en tant qu'Autre qu'il désire (ce qui donne la véritable portée de la passion humaine) [1]. » Le travail de l'écriture implique donc une recherche de soi en même temps que celle de l'objet constitué dans le langage, dans la mesure où le sujet « peut ne pas méconnaître que ce qu'il désire se présente à lui comme ce qu'il ne veut pas, forme assumée de la dénégation où s'insère singulièrement la méconnaissance de lui-même ignorée, par quoi il transfère la permanence de son désir à un moi pourtant évidemment intermittent, et inversement se protège de son désir en lui attribuant ces intermittences mêmes [2] ».

On est frappé de voir combien cette dernière phrase peut par exemple s'appliquer à Nerval pour qui l'*intermittence* a été la forme même du désir. Proust disait que toutes ses œuvres auraient pu avoir pour titre celui qu'il avait d'abord donné à l'une des siennes : *les intermittences du cœur*, mais sans doute ne voyait-il pas combien les ruptures et retours que l'on rencontre à tout moment chez Nerval prennent leur signification, au-delà du texte même, dans un mouvement originel de la conscience irréductible au seul jeu du souvenir. Gérard, involontairement peut-être, a exprimé ce désir premier lorsqu'il a inscrit au-dessous d'un exemplaire de son portrait gravé d'après la photo de Nadar : *Je suis l'autre*, accompagnant ces mots d'un point d'interrogation et d'un sceau de Salomon. Ce n'était pas le *Je est un autre* de Rimbaud. C'était une simple observation, calme et très lucide. Mais révélatrice de la *visée* patiente et obstinée que toute une œuvre littéraire avait pour fonction d' « accomplir ». Œuvre où les figures (dans le sens le plus rhétorique du terme, si l'on veut) du changement ou de l'alternance ont leur part, parce que l'*intermittence* en est précisément la règle. Le désir, on le voit, ne prend pas ici la forme d'une exigence érotique, mais d'un battement, d'une mobilité dont la permanence est à l'origine même des structures fondamentales du texte nervalien. Il n'en

1. Jacques Lacan, « Subversion du sujet et dialectique du désir dans l'inconscient freudien », in *Ecrits II*, coll. « Points », éd. du Seuil, p. 174-176.
2. Jacques Lacan, *ibid.*, p. 177.

est pas moins le désir dans toute son activité. Certes il n'est pas toujours aisé d'en déceler la trace. Artaud disait : « Je n'aime pas les poèmes ou les langages de surface et qui respirent d'heureux loisirs et des réussites de l'intellect [1]. » Il faut se garder de lire Nerval au niveau des « langages de surface » (même si l'on fait abstraction ici des « heureux loisirs ») : Proust aussi bien que les surréalistes ont toujours dénoncé ce piège. Une vraie lecture de son œuvre impliquera au contraire une attention constante à la force qui, l'orientant sans cesse vers *l'autre* ou un *ailleurs* (un *futur* peut-être où le *passé* se recompose), la traverse et sous-tend son organisation textuelle. Cette force est peut-être essentiellement l'affrontement au temps, qui est souvent l'expression la plus violente ou même, en dépit des apparences, la plus déréglée du désir. Et ce n'est pas un hasard si, dans un système de pensée fondé, en raison, sur l'acceptation de l'ordre temporel, le refus du temps peut conduire à la « folie » ou en être une des manifestations dominantes, comme l'a bien vu Michel Foucault : « Dans la disparité entre conscience de déraison et conscience de folie, on a, en cette fin du XVIIIe siècle, le point de départ d'un mouvement décisif : celui par lequel l'expérience de la déraison ne cessera, avec Hölderlin, Nerval et Nietzsche, de remonter toujours plus haut vers les racines du temps — la raison devenant ainsi, par excellence, le contretemps du monde — et la connaissance de la folie cherchant au contraire à la situer de façon toujours plus précise dans le sens du développement de la nature et de l'histoire [2]. » Cette analyse soulignant que l'expérience de la folie, par opposition à la connaissance historique qu'on peut en avoir, implique une remontée *vécue* et tragique du temps (« vers les racines du temps »), s'applique remarquablement à Nerval qui a peut-être vécu plus intensément que personne, et en prenant en tout cas les risques les plus extrêmes, le « contretemps du monde ». Que dans ce contretemps se formule son désir fondamental apparaîtra clairement à tous ceux qui ont décelé le mouvement de « remontée », précisément, qui, traversant et construisant à la fois son œuvre, en est bien le principe originel.

1. Antonin Artaud, « Lettre à Henri Parisot », in *Lettres de Rodez*, éd. G.L.M., 1946.
2. Michel Foucault, *Histoire de la folie à l'âge classique*, chap. VI, coll. « La grande peur », éd. Plon et 10/18, p. 216.

Quand Marie-Jeanne Durry note : « Au commencement était le souvenir [1] » et insiste sur ce *creusement* qui anime et comme déclenche l'écriture nervalienne, elle décrit les conditions mêmes de la naissance d'un texte littéraire qui ne peut prendre sa place ailleurs que dans un vide creusé par un « appel » premier de la mémoire. Et tous ceux qui ont insisté sur l'obsession du cercle chez Nerval, savent bien que ce « cercle étroit » dont il parle si souvent, dans lequel, affirme-t-il aux heures les plus désespérées de sa vie [2], il tourne, est la figure même de son angoisse lorsque son désir refermé sur lui-même et s'épuisant dans une tournoyante spirale, ne parvient plus à *tendre* son travail (et, au-delà, son existence) entre ce *passé* qu'est l'espace ouvert de sa mémoire et cet *avenir* qu'est son œuvre. Car, à ce stade-là, toute l'expérience « mémorisée » d'un homme n'a plus de sens que si elle se projette au-devant d'elle-même et *s'invente* dans une écriture. Et c'est l'histoire personnelle ainsi reconstituée dans la *fiction* qui devient *l'autre.* On conçoit que le désir qui porte vers elle, même s'il n'affecte point les formes et structures du désir sexuel, puisse être aussi autodestructeur que lui. L'exemple de Nerval l'a montré.

Mais, bien entendu, la vie érotique elle-même peut très bien marquer assez fortement une œuvre pour donner, par son propre système de signes, une assez belle illustration de ce qu'est le travail du désir dans un texte. Lautréamont, Apollinaire, Eluard, on le verra, nous donnent l'occasion d'y réfléchir, sans que leur témoignage, finalement, nous détourne radicalement de celui de Nerval. On aurait d'ailleurs tort d'imaginer *a priori* que le fait érotique soit toujours aisément décelable dans leurs œuvres. Le cas de Lautréamont est curieux à cet égard. Etudié de très près depuis quelques années et tout particulièrement dans une perspective « moderne » où son texte est prioritairement pris en considération comme le produit d'une « écriture du corps », il est fort rarement (pour ne pas dire jamais) l'objet d'une interrogation proprement sexuelle. On sait pourtant que la matière ne manque pas dans *les Chants de Maldoror* où, du sadisme à l'hermaphrodisme, le « discours sexuel »

1. Marie-Jeanne Durry, *Nerval et le Mythe,* éd. Flammarion, p. 7.
2. Lettre au Dr Blanche, 10 décembre 1853, *Œuvres,* Pléiade, t. I, p. 1108. Cf. aussi lettre à George Bell du début décembre 1853, Pléiade, t. I, p. 1106 : « Je me nourris de ma propre substance et ne me renouvelle pas. »

se développe selon une gamme variée et étendue de possibles. Mais tout se passe comme si l'on sentait bien que le désir qui irradie dans l'œuvre ne se localisait pas là plutôt qu'ailleurs, mais au contraire s'exprimait dans la violence du langage bien plus que dans celle des situations représentées. Le lieu de l'érotique ducassienne est donc l'écriture, l'organisation et la structure de l'œuvre. Comme il est aussi l'ensemble des images, scènes et représentations sur lesquelles cette œuvre s'édifie. La chaîne des fantasmes notamment. Il y aurait beaucoup à dire là-dessus, mais l'indication la plus éclairante que l'on puisse mettre en avant est probablement celle qui est fournie par la définition même du concept de *fantasme* donnée par Laplanche et Pontalis dans leur *Vocabulaire de la psychanalyse* [1] : « Scénario imaginaire où le sujet est présent et qui figure, de façon plus ou moins déformée par les processus défensifs, l'accomplissement d'un désir et, en dernier ressort, d'un désir inconscient. » Décrire les fantasmes qui se rencontrent dans l'œuvre de Lautréamont, c'est donc lire « l'accomplissement d'un désir » inscrit dans un texte, au niveau même (comme Bachelard l'avait déjà pressenti) de ce qui en extériorise (en matérialise) les dynamismes secrets. Cela peut être en relation directe avec les faits d'écriture, mais ne saurait être séparé non plus des manifestations autonomes de l'inconscient ou de la vie organique, du substrat *biologique* du projet littéraire. C'est, en un sens, un exemple particulièrement révélateur des « articulations » que le désir réalise.

Avec Apollinaire — avec certaines de ses œuvres du moins — on peut avoir le sentiment de se trouver devant une situation plus nue et plus franche : l'érotisme, en effet, n'y emprunte pas un langage indirect et ne s'y masque pas sous un jeu de significations complexes, il s'y donne pour ce qu'il est dans la crudité et la provocation. On sait à quelles œuvres il peut être fait allusion ici : mais, sans aller jusqu'aux ouvrages proprement clandestins de Guillaume, on peut s'appuyer sur les *Lettres à Lou* ou les *Lettres à Madeleine* pour montrer avec quelle violente franchise le désir peut se dénuder dans ses écrits. Il y aura donc la possibilité de le déchiffrer chez lui dans son expression la plus « élémentaire » (la plus innocente) en même temps que la plus agressive, à la faveur,

1. Presses universitaires de France, 2e éd., 1968, p. 152.

pourrait-on dire, d'une manière de grossissement, d'exagération. Et il est parfaitement juste de dire que, sur ce plan-là, l'œuvre d'Apollinaire a une valeur, assez irremplaçable, d'exemple, dans la mesure où elle montre que les multiples branches d'un désir « poétique » diversifié dans une œuvre éminemment plurielle, sortent toutes d'un même tronc qui est le désir tout court, bien planté dans un tempérament, dans une nature, dans un corps. Mais, précisément, il faut en considérer le potentiel érotique comme une force structurante (cette « grande force » dont Apollinaire disait justement qu'elle était le désir) et non pas comme une parure accidentelle dont il serait curieux de découvrir les formes les plus outrées ou les plus délibérément transgressives. Michel Butor dit fort bien à ce propos : « Cet intérêt passionné pour le *phénomène* du langage est aussi une des racines de sa curiosité pour les ouvrages érotiques, explique en grande partie l'étonnante modernité de son attitude à leur égard. Il s'agit en effet de ne pas laisser une seule région du vocabulaire dans l'ombre, de savoir comment on peut parler de tout, comment en fait on parle de tout, même en secret [1]... » Cela est parfaitement vrai, mais la réciproque aussi, pleinement : c'est parce qu'il est animé d'une curiosité érotique ardente qu'Apollinaire est *aussi* curieux des pouvoirs et des jeux du langage, qu'il est conduit à « tenter », à « essayer » (dans le plaisir) les effets de la parole poétique pour voir jusqu'à quel degré de liberté ou d'accomplissement du possible elle peut le conduire. Est-ce cela qu'il exprimait quand il disait : « Il neige et je brûle et je tremble [2] » pour traduire sa quête d'une certaine beauté qui était bien celle du langage et des formes, mais qui avait plus affaire pourtant à la fête généralisée des sens dans laquelle baignait toute sa vie qu'à l'*esthétique*. Ecrire, c'est pour lui par définition choisir l' « aventure », l' « invention », c'est-à-dire la recherche heureuse et expérimentale de l'objet de son désir.

L'attitude d'Eluard est différente, en raison même de l'intervention du surréalisme sur son œuvre et sur sa vie. Le désir pour les surréalistes n'apparaît plus comme le refoulé d'une culture reçue : il est assumé dans la clarté de la conscience (et à ce titre, glorifié

1. Michel Butor, « Monument de rien pour Apollinaire », in *Répertoire III*, coll. « Critique », éd. de Minuit, p. 278.
2. Dans « Les collines », in *Calligrammes*.

sans réserve). Même s'il met en jeu des puissances irrationnelles, il demeure lucide, ce que Salvador Dali résumait bien en parlant de la « lucidité aveugle du désir » (ou même, en termes plus dalinesques, de son « hyperesthésique lucidité vitale [1] »). Il se veut donc, au sein même d'une pratique littéraire, tout chargé de réalité sexuelle. Ou, plus exactement, il associe une pratique littéraire à une pratique érotique. C'est ce qu'Eluard, inversant une proposition de Valéry, a exprimé dans les *Notes sur la poésie* : « LA POÉSIE est l'essai de représenter ou de restituer par des cris, des larmes, des caresses, des baisers, des soupirs, ou par des objets *ces choses* ou *cette chose que tente obscurément d'exprimer le langage articulé*, dans ce qu'il a d'apparence de vie ou de dessein supposé [2]. » Il est difficile de mieux dire en même temps que le désir, dans le langage, est d'abord la recherche insistante et obscure d'un objet qui ne se connaît pas encore (cette « chose ») et que la voie qu'il emprunte est celle d'une érotique. L'érotique éluardienne ? On peut en parler de plusieurs façons. Comme un fait de l'existence, une expérimentation amoureuse délibérément recherchée et vécue. Mais aussi comme une simple (et vaste) célébration poétique de l'amour que tant de textes illustrent (on dira, en ce sens, banalement, comme on ne se prive d'ailleurs pas de le faire, qu'Eluard est « un grand poète de l'amour »). Mais elle est peut-être surtout dans le tissu même d'un langage qui trouve dans la circulation du désir son oxygène, ce ferment vivant qui produit en lui d'incessants effets « multiplicateurs », de profonds jeux de miroir ouverts sur une attente jamais épuisée. Multiplication de l'être qui est d'abord une multiplication de la parole. Et c'est sans doute dans la parole même qu'Eluard « poète érotique » doit d'abord être *reconnu*.

S'il fallait apporter une conclusion provisoire à ces remarques, c'est encore au surréalisme, pris comme une pratique d'ensemble, qu'il faudrait s'adresser. Il a toujours été conduit en effet à rappeler que, quels que soient les masques sous lesquels on dissimule le désir dans l'écriture, il arrive toujours un moment où il faut le désigner pour ce qu'il est. Déjà l'auteur d'*Irène* parlait tout naïvement de « ce BONHEUR d'expression qui est pareil à la

1. Salvador Dali, « Le phénomène de l'extase », cité par Robert Benayoun, in *l'Erotique du surréalisme*, éd. J.-J. Pauvert, p. 127.
2. André Breton et Paul Eluard, *Notes sur la poésie*, éd. G.L.M., 1936.

jouissance[1]... », Breton écrivait, avec plus de conviction encore : « Je n'ai jamais pu m'empêcher d'établir une relation entre cette sensation (l'émotion poétique) et celle du plaisir érotique, et ne trouve entre elles que des différences de degré[2]. » On est d'ailleurs obligé de constater que ces déclarations ne dépassent guère le stade de la suggestion analogique ou métaphorique et que le surréalisme, dans ce domaine comme dans bien d'autres, a préféré le discours affectif à l'analyse. On en jugera *a contrario* en appréciant certaines positions modernes sur le même sujet, celles de Francis Ponge par exemple. Apparemment, elles disent la même chose, mais il est clair que c'est dans un langage différent qui implique une conscience nouvelle de ces problèmes et, plus probablement encore, une mutation idéologique de leur approche. Cela n'est pas facile à situer ni à repérer, mais on sent bien, lorsque Ponge parle du désir, que ce n'est plus dans des termes d'émotion globale et généralisante, mais à partir d'un *lieu* nouveau où s'est jouée toute une problématique contemporaine de l'écriture dont les effets « physiques » (matériels) sont saisis au niveau textuel le plus concret. Par exemple, dans ses *Entretiens* avec Philippe Sollers, lorsque son interlocuteur le félicite de n'avoir jamais « essayé de passer sous silence la fonction profondément sexuelle de l'écriture », d'avoir toujours souligné que celle-ci se présentait à lui « comme une pratique à la fois érotique et mortelle », il répond, allant jusqu'au bout de sa plus intime expérience de l'*acte* d'écrire : « ... Eh bien, j'ai dit aussi très souvent, je crois..., que la nécessité profonde, enfin ce qui amenait à franchir le silence, était évidemment le désir, et que ce désir était quelque chose de quasi physiologique, biologique, qui, par exemple, dans l'acte sexuel, oblige l'homme à remplir sa fonction, qui est une fonction de régénération, et tout le monde conçoit que les dépenses que fait le corps physique au moment de l'acte de reproduction, eh bien ! sont des pas vers la mort ; enfin, je crois que cela, c'est presque un lieu commun », et orientant sa réflexion vers la nécessaire présence d'un partenaire *(l'autre)*, d'une « deuxième personne » dans cette réalisation du désir, il poursuit : « La deuxième personne,

1. Albert de Routisie, *Irène,* « L'or du temps », p. 88.
2. André Breton, *L'Amour fou*, éd. Gallimard, p. 12.

quant à moi, enfin, c'est évidemment, si vous voulez, pour aller très vite, la chose, l'objet qui provoque le désir et qui, lui aussi, meurt, si vous voulez, dans l'opération qui consiste à faire naître le texte. Donc, il y a mort à la fois de l'auteur et mort de l'objet du désir, mettons de la chose, du pré-texte, du référent, pour que puisse naître le texte [1]. » Bien sûr, il y a aussi dans les propos de Ponge des images et des métaphores, mais l'important est que le désir, dans le travail du texte, y soit décrit comme l'élément d'un « fonctionnement », d'une « opération », fût-elle de nature biologique, et non comme une pulsion aux effets mythiques et incantatoires. Plus loin, d'ailleurs, Sollers met en quelque sorte Ponge au pied de sa propre pensée en lui faisant entendre cette citation, tirée du *Savon*, où visiblement l'analyse, dans sa forme presque autant que dans son intention, débouche sur ce qu'on pourrait appeler une physiologie sexuelle autonome de l'écriture : « La production de son propre signe, devenant ainsi la condition de l'accomplissement de quoi que ce soit, oui, oui, c'est bien ainsi qu'il faut concevoir l'écriture : non comme la transcription, selon un code conventionnel, de quelque idée extérieure, ou antérieure, mais à la vérité, comme un orgasme, comme l'orgasme d'un être ou d'une structure, déjà conventionnelle par elle-même, bien entendu, mais qui doit, pour s'accomplir, se donner avec jubilation comme telle, en un mot se signifier elle-même [2]. »

A vrai dire, cette position « physiologique » apparaîtra restrictive à ceux qui pensent que le désir n'est pas seulement une *forme*, mais peut avoir aussi un contenu. On les rassurera en rappelant que, sur le plan de la pratique sociale, le désir draine toutes les forces de l'imagination et, à ce titre, apporte à la littérature tout ce qui traditionnellement la nourrit : anecdotes, situations roma-

1. *Entretiens de Francis Ponge avec Philippe Sollers,* « 12e entretien », éd. Gallimard/Seuil, p. 168-171.

2. *Ibid.*, p. 182. Cf. à ce sujet Philippe Sollers (justement à propos du *matérialisme sémantique* qu'il reconnaît à l'œuvre dans les écrits de Ponge) : « Le profond et incessant travail corporel où nous sommes pris, atteint tout autre chose qu'un décor ; et si ce travail se dévoile à travers le sexe, le sexe, en ce point, se confond précisément avec l' ' écriture ', comme production et annulation, vie et mort incessantes, greffes, des organismes et des significations » (« Niveaux sémantiques d'un texte littéraire », in *Théorie d'ensemble,* éd. du Seuil, p. 323).

nesques ou dramatiques, thématique poétique, etc. L'*imaginaire* en effet se range entièrement du côté du principe de plaisir — selon la célèbre distinction freudienne — et non du côté du principe de réalité, pour la simple raison qu'il exprime la plus haute forme de liberté qui puisse se concevoir par rapport à un ordre établi. C'est une des importantes constatations d'Herbert Marcuse qui voit en lui « la seule valeur mentale qui demeure, dans une très large mesure, libre à l'égard du principe de réalité, même dans la sphère de la conscience développée [1] », suggérant indirectement par là que la littérature tout entière est porteuse de subversion (et tombe donc toujours sous le coup d'une certaine forme de répression sociale). Cette donnée, loin d'infirmer ce qu'on peut dire des rapports du désir et de la mort à l'intérieur du *moment* précis de l'écriture, en élargit l'application au mouvement général de la création littéraire. Les surréalistes l'ont bien senti, qui dans le libre jeu de l'imaginaire ont vu la plus radicale contestation d'une société et de son système de valeurs, mais ils n'ont pas assez dialectisé le lien entre cette violence et celle, proprement érotique, que le langage porte en lui-même. Elles sont pourtant solidaires et c'est la raison pour laquelle l'exercice de la littérature est, à tous les niveaux, une manifestation du désir. Et même à des niveaux auxquels on ne songe pas toujours, peut-être parce que apparemment il n'est pas de bon ton de s'y placer : c'est ainsi que Freud, dans son *Introduction à la psychanalyse*, n'hésite pas à rappeler que parmi les satisfactions « substitutives » que peut apporter l'activité artistique, on peut mettre des choses telles que : « Honneur, puissance et amour des femmes [2]. » On vérifierait aisément que dans le cas de Nerval, de Lautréamont, d'Apollinaire ou d'Eluard, l'un ou l'autre de ces mobiles ont joué leur rôle d'attraction (comme chez beaucoup d'autres écrivains d'ailleurs) et il n'y a pas de raison d'écarter du champ de la pratique littéraire ces déterminations qui, si extérieures semblent-elles, y tiennent une place non négligeable. Cela aussi est une forme d'expression du désir. On en arrive toujours, en définitive, à la mise en évidence d'une chose recherchée,

1. Herbert Marcuse, *Eros et Civilisation*, éd. de Minuit, coll. « Arguments », p. 128 (et coll. « Points », éd. du Seuil).
2. Cité par Starobinski, « Psychanalyse et littérature », *op. cit.*, p. 274.

convoitée (le désir ne peut exister sans le *désirable*) dont l'absence fondamentale a tout de même pour lieu tout le « possible » de l'imagination, de l'écriture et, probablement, de la vie d'un écrivain. Chose qui est donc à la fois hors de lui et en lui. On retrouve la double vectorialité de *l'autre*. Ce que Valéry (qui ne théorisait pas, mais voyait juste) disait à sa manière en notant qu'en tout auteur « *ce qu'il voudrait être* choisit dans *ce qu'il est* [1] ».

II

Il faut maintenant revenir au texte et tenter de ne pas éluder la difficulté essentielle : discerner par quelles voies le désir s'introduit dans les opérations du langage. Il n'est pas de page, d'écrit de Nerval, de Lautréamont, d'Apollinaire ou d'Eluard qui n'apporterait de concrets éléments de réponse à cette question : elle se traite sur pièces, et c'est en un sens le travail de l'analyse littéraire. On peut pourtant esquisser une approche générale du problème en reprenant ce mot, si révélateur, de Ponge, que nous citions plus haut : « quelque chose de quasi physiologique... qui oblige l'homme à remplir sa fonction ». Remplir une fonction. On ne sait pas exactement laquelle, mais c'est à peu près la seule chose qui pourrait échapper au doute méthodique dans la description de l'acte littéraire : une fonction se remplit (comme dans l'ordre, physiologique, de la sexualité). Cette constatation première conduit à penser que le vrai *signifié* qui est à l'origine de tout texte littéraire est le désir lui-même qui le produit. Rien ne permet de le définir autrement tant que l'œuvre n'a pas trouvé sa forme. C'est ce que tant d'écrivains modernes ont exprimé à travers des dérobades concertées, par exemple Robbe-Grillet, lorsqu'il déclare : « Et lorsqu'on demande au romancier pourquoi il a écrit son livre, il n'a qu'une réponse : C'est pour essayer de savoir pourquoi j'avais envie de l'écrire [2]. » Il est bien clair que cela n'est pas seulement une bou-

1. Paul Valéry, *Tel Quel I, Choses tues*, in *Œuvres*, Pléiade, t. II, p. 479-480.
2. Alain Robbe-Grillet, *Pour un nouveau roman*, éd. de Minuit, p. 13.

tade, mais une excellente définition de ce qu'on pourrait appeler le projet littéraire fondamental. Il reste à voir comment ce projet *s'écrit*, et c'est là que l'analyse devient plus difficile. Roland Barthes, traitant de Sade, a noté quelque part un certain nombre de choses qui aiguillent la réflexion : « La saturation de toute l'étendue du corps est le principe de l'érotique sadienne : on essaie d'employer (d'occuper) tous ses lieux distincts. Ce problème est celui-là même de la phrase (en quoi il faut parler d'une érotographie sadienne, la structure de la jouissance ne se distinguant pas de celle du langage) : la phrase (littéraire, écrite) est elle aussi un corps qu'il faut catalyser, en remplissant tous ses lieux premiers (sujet-verbe-complément) d'expansions, d'incises, de subordonnées, de déterminants ; certes, cette saturation est utopique, car rien ne permet (structuralement) de terminer une phrase [1]... » Il y a là quelque chose qui mérite de retenir l'attention : la façon dont est décrit le mouvement par lequel avance la phrase, se construit le texte, se mettent en place ses structures grammaticales. Mouvement de nature « physique » qui implique une avancée à la fois tâtonnante et heureuse, une exploration empirique et sensuelle, un ajustement permanent (et, pourquoi pas ? un « bricolage » au sens où l'entend Lévi-Strauss et, plus encore peut-être, Claude Simon) où, à chaque étape, le succès de la tentative, la qualité du résultat se vérifient expérimentalement à un certain *plaisir* immédiat (de l'oreille ? du corps ? de l'esprit ?) portant en lui-même la preuve que la « chose » a été *écrite*. Le plaisir est la vérification du désir accompli (et, l'œuvre achevée, il n'est pas étonnant qu'il trouve son homologue dans le plaisir du lecteur, ce que Barthes, en 1971, semble avoir découvert avec une acuité surprenante [2]). Cette succession de propositions « textuelles » et de vérifications-réalisations reproduisant strictement le schéma désir——→plaisir est la démarche (la marche) même

1. Roland Barthes, *Sade, Fourier, Loyola*, coll. « Tel Quel », éd. du Seuil, p. 133.

2. « Le Texte est un objet de plaisir. La jouissance du Texte n'est souvent que stylistique : il y a des bonheurs d'expression et ni Sade ni Fourier n'en manquent. Parfois pourtant le plaisir du Texte s'accomplit d'une façon plus profonde : lorsque le texte ' littéraire ' (le Livre) transmigre dans notre vie, lorsqu'une autre écriture (l'écriture de l'Autre) parvient à écrire des fragments de notre propre quotidienneté, bref quand il se produit une *co-existence* » (*ibid.*, p. 12).

du travail d'écrire (plus exactement encore, la façon dont le geste d'écrire se décompose). Epreuve, contre-épreuve. Chercher et trouver à la fois. Quand Picasso a dit « Je ne cherche pas, je trouve », il n'a pas formulé une boutade à l'usage de ceux qui s'étonnent de la rapidité et de la liberté de son geste de peintre, il a dit très exactement ce qu'est, en littérature comme en art, produire une forme juste. Mais trouver quoi ? Il faut revenir ici aux remarques de Todorov, sur lesquelles nous prenions appui au début de ce texte, touchant à l' « absence » qui se trouve au cœur de la visée littéraire. Ce qui se cache en cette absence se découvrira (deviendra présence) dans toute l'étendue du travail textuel. C'est pourquoi, analyser un texte dans *sa matière*, c'est-à-dire son ordonnance, son organisation, ses thèmes, ses images, sa grammaire, et même sa genèse, son histoire, n'est pas sortir du champ du désir qui l'a fait naître. Seule une interrogation abstraite sur des données supposées préexistantes à ce texte lui-même nous éloignerait de cette ligne de recherche. Jean Thibaudeau dit fort justement : « Le texte doit être reconnu le produit d'un désir individuel » et souligne que le travail de l'auteur est de promouvoir « un 'je' *non-assujetti*, simplement producteur du texte [1] » : à plus forte raison le critique a-t-il pour tâche de saisir l'auteur à ce niveau de production et non de le définir par tout ce qui l'*assujettit* à une réalité extérieure à ce texte. C'est une idée sur laquelle il importe d'insister pour montrer précisément que la notion de désir peut (et doit) être à l'origine d'une *poétique* dans la mesure où elle s'ouvre non sur des considérations vagues tenant à la psychologie de l'auteur, mais sur l'activité même de son écriture.

Activité qui produit, en définitive, quoi ? A partir du moment où il apparaît pour certain qu'un vide, une absence (parfaitement matérialisés par la page blanche) sont les seules données antérieures à l'exercice du désir dans l'écriture (et qu'en somme le désir est d'abord désir de *rien*), il est clair que le texte produit n'aura pas fondamentalement de fonction *représentative*. Ne peut être représenté en effet que ce qui est posé d'abord et donné comme une sorte de « modèle » à la fois extérieur et antérieur au texte. Ce n'est pas

1. Jean Thibaudeau, « Le roman comme autobiographie », in *Théorie d'ensemble*, coll. « Tel Quel », éd. du Seuil, p. 214.

le lieu de rappeler ici pourquoi et comment l'illusion représentative s'est trouvée à la base de toute une conception de la littérature et combien elle demeure tenace aujourd'hui. Cela relève de l'idéologie et nous détournerait de notre analyse. Mais il est impossible de ne pas noter que les écrivains ont eu à tout moment des réactions de défense à l'égard de ce piège, même si le langage dont ils usent est aussi peu « théorique » que possible (et pour cause) ou paraît s'inspirer de soucis d'école. Un exemple, entre autres, et d'autant plus significatif qu'affecté d'une apparente banalité circonstancielle, en tout cas d'une certaine contingence. Apollinaire, encore très jeune, répond à la deuxième question d'une enquête de la *Revue littéraire de Paris et de Champagne* : « Je suis pour un art de fantaisie, de sentiment et de pensée, aussi éloigné que possible de la nature avec laquelle il ne doit avoir rien de commun. C'est, je crois, l'art de Racine, de Baudelaire, de Rimbaud [1]. » On voit ce que cette déclaration peut signifier vers 1907, mais on voit très bien aussi comment il est possible de dépasser cette signification immédiate. S'affirmer partisan d'un art de *fantaisie*, de *sentiment* et de *pensée* ne veut dire à la lettre rien, en raison du vague de ces trois termes, sauf une chose : il s'agit de défendre un art dont la visée première ne sera pas la *reproduction* de quoi que ce soit, donc un art éloigné de la nature comme cela est expressément dit, mais surtout animé d'une créativité (ou d'un pouvoir de « production ») telle que les domaines dans lesquels il va s'investir ne peuvent être désignés que comme des sphères, des lieux d'une extrême indétermination où tout est *possible*. Ajouter que cet art est celui de Racine, de Baudelaire et de Rimbaud indique, par la juxtaposition même de ces exemples divers, que toute grande écriture s'est nécessairement trouvée animée de cette liberté qui lui impose non de représenter la nature, mais de se régler d'abord sur ses propres lois, de se donner un langage et une forme. En somme, l'idée qui se trouve mise en avant dans de telles affirmations est que l'art n'est tenu à rien d'autre qu'à se produire son propre langage. Ou mieux, atteindre un certain état du langage. On notera avec curiosité à ce sujet que Francis Ponge écrit : « La parole serait donc aux choses de l'esprit leur état de rigueur, leur façon de se tenir

1. *Album Apollinaire,* Pléiade, p. 104.

d'aplomb hors de leur contenant [1] », alors que Breton exalte « le désir, le seul ressort du monde, seule rigueur que l'homme ait à connaître [2] » : ce n'est pas un hasard si le terme *rigueur* (qui, au moins dans la deuxième citation, s'impose avec une sorte de netteté quasi physiologique) se retrouve dans l'une et l'autre de ces propositions ; le point commun de l'activité érotique et de l'activité textuelle est en effet la constitution d'une *forme*, d'une structure conduite à son achèvement. Apparemment cela contraste avec l'indétermination des notions proposées par la déclaration d'Apollinaire à laquelle nous nous référions plus haut ; en réalité il faut voir qu'Apollinaire qui à ce moment-là n'a pas une conscience claire des directions où s'engagera son art, vise simplement à délimiter le champ de sa pratique littéraire, ou plutôt à l' « illimiter », et que cela a bien certaines conséquences : à partir du moment où l'art se trouve libre par rapport à la nature et n'est plus assujetti à une fonction de représentation, il ne peut avoir d'autre projet que sa propre rigueur. Peu importe où et comment il se manifeste, l'essentiel est qu'il soit d'abord *art* (avec tout le système connotatif mis en place à travers ce mot dans les années 1900). Ce qu'Apollinaire exprime d'ailleurs à sa manière dans la suite de l'enquête citée lorsqu'à la question 5 il répond : « L'art naît où il peut. » Affirmation on ne peut plus ouverte et certes peu originale dans le contexte de la recherche poétique du début du XXe siècle, mais parfaitement révélatrice d'une position créatrice où rien n'a priorité sur le libre jeu du désir se réalisant dans une perpétuelle *invention* de formes. « Dire, c'est inventer », rappelle Beckett dans *Molloy* [3]. Tout se résume là, et une poétique du désir impliquera la conviction qu'un texte littéraire est d'abord la projection d'un langage nouveau dans un espace vide. Ce n'est point une simple coïncidence si la linguistique moderne est devenue particulièrement sensible à ce côté « génératif » de la pratique de l'écriture. L'*illimitation* dont nous parlions plus haut est celle même dont Chomsky pose le principe dans l'exercice de la parole humaine,

1. Francis Ponge, « De la modification des choses par la parole », in *le Parti pris des choses*, éd. Gallimard, « Poésie », p. 122.
2. André Breton, *L'Amour fou*, p. 101.
3. Samuel Beckett, *Molloy*, éd. de Minuit et 10/18 : cf. la postface de Bernard Pingaud, p. 303.

lorsqu'il suggère de tirer des observations cartésiennes sur les possibilités infinies du langage des conclusions que la plupart des linguistes n'ont pas conduites à leurs derniers développements : « Bloomfield par exemple, observe que dans un langage naturel, ' les possibilités de combinaison sont pratiquement infinies ', si bien qu'on ne peut espérer rendre compte de l'utilisation du langage en ayant recours à un principe de répétition ou en dressant des listes : mais il n'a plus rien à ajouter sur ce problème, quand il a remarqué que le locuteur émet des formes nouvelles *par analogie* à des formes semblables qu'il a entendues [1]. » Chomsky propose de dépasser cette position et ses remarques sur l'activité poétique, au niveau de la mise en œuvre du langage, recoupent très exactement la description qu'on pourrait donner des « effets » de la dialectique absence-invention qui caractérise l'intervention du désir dans l'écriture : « La poésie est unique en ceci que le matériau même qu'elle utilise est libre et sans limite ; ce matériau, le langage, est un système qui offre des possibilités d'innovation illimitées pour former et exprimer les idées. La production d'une œuvre d'art, quelle qu'elle soit, est précédée d'un acte mental créateur qui utilise le langage. Ainsi donc l'utilisation créatrice du langage qui constitue, sous certaines conditions de forme et d'organisation, la poésie, accompagne tout acte d'imagination créatrice et est à sa base, quel que soit le matériau mis en œuvre pour sa réalisation [2]. »

On aimerait pousser l'analyse pour montrer comment cette créativité s'actualise. Mais il faut en tout cas insister sur un point que nous avons déjà eu l'occasion de souligner : ce qui joue dans la matière du langage joue dans toute l'organisation de l'œuvre, et le texte, dans ses structures, ne fait que réaliser une sorte d'amplification de la *grammaire* de la phrase [3]. Et c'est cette organisation

1. Noam Chomsky, *La Linguistique cartésienne,* suivi de *la Nature formelle du langage,* coll. « L'ordre philosophique », éd. du Seuil, p. 30-31.
2. *Ibid.,* p. 39.
3. Ce que Gérard Genette exprime très bien, à propos de Proust, en écrivant : « Puisque tout récit — fût-il aussi étendu et aussi complexe que *la Recherche du temps perdu* — est une production linguistique assumant la relation d'un ou de plusieurs événement(s), il est peut-être légitime de le traiter comme le développement, aussi monstrueux qu'on voudra, donné à une forme *verbale,* au sens grammatical du terme : l'expansion d'un verbe », *Figures III,* coll. « Poétique », éd. du Seuil, p. 75.

tout entière que traverse le désir, non la seule écriture, au sens strict du terme. Ce n'est pourtant pas une raison pour ne pas en reconnaître les manifestations d'abord au niveau textuel le plus précis et la logique de nos hypothèses devrait être d'en déceler la présence au sein même d'un lexique ou d'un fonctionnement grammatical. Car là aussi l'invention est *érotique*. Barthes traduit cela d'une façon assez piquante, mais parfaitement juste, en notant au hasard d'une de ses analyses : « Le néologisme est un acte érotique [1] » : cet exemple singulier montre bien en effet, dans le cas très particulier du langage critique (ou philosophique), que l'invention même « exagérée » de vocables neufs peut, en dehors d'évidentes motivations théoriques, correspondre à un besoin (désir) insistant de faire dire à la langue plus (et autrement) qu'elle ne veut et peut dire. D'où un plaisir assez vif, lié à cette pratique, et l'irritation de ceux qui ne le partagent pas. Mais ce qui est ici grossi se retrouvera, d'une manière moins provocante, dans toutes les opérations du langage qui tendent à inventer quelque chose, à produire un *sens* pluriel et ouvert. Jean Starobinski, à propos de l'épisode du « dîner de Turin » dans les *Confessions* de Rousseau, a montré comment, dans le détail, le « tissu verbal » du texte de Jean-Jacques se trouvait travaillé, ourdi par « le va-et-vient du désir », comment la « position syntaxique » y créait des relations d'ordre psychologique, social, idéologique, etc. [2]. Et c'est avec raison que, traitant de la très pressante infiltration de l'*eros* dans les figures mêmes du langage, il nous rappelle qu' « Emile Benveniste a très profondément noté que les ruses d'expression que Freud attribue au désir refoulé correspondent d'une façon frappante aux figures stylistiques et aux tropes de la rhétorique classique : ' C'est d'une conversion métaphorique que les symboles de l'inconscient tirent leur sens et leur difficulté tout à la fois [3]. ' La lecture analytique de la métaphore comporte la réduction du langage figuré au langage littéral. La métaphore, aussitôt repérée, est ramenée à son origine ; la condensation est décondensée ; le déplacement est replacé, les inver-

1. *Sade, Fourier, Loyola*, p. 87.
2. Jean Starobinski, *La Relation critique*, p. 119 et 121.
3. Emile Benveniste, *Problèmes de linguistique générale*, éd. Gallimard, p. 86-87.

sions sont retournées, etc. [1] ». On peut en définitive *lire* le désir dans tous les détours, les systèmes d'écarts (syntaxiques, lexicologiques, etc.) qui à un moment donné inscrivent dans le texte la distance qui sépare une visée de son objet, celui-ci se trouvant constitué par ce *tracé* même. Mais aussi la réduction de cette distance. Octavio Paz le dit d'une manière originale à propos du fonctionnement métaphorique le plus élémentaire, celui de la conjonction *comme*, dont l'œuvre de Lautréamont offre par exemple, on le sait, de si provocantes démonstrations : « Le mot *comme* — image comparative — implique autant la distance entre les termes homme et lion que la volonté de l'abolir. Le mot *comme* est un jeu érotique, le chiffre de l'érotisme. Seulement, c'est une métaphore irréversible : l'homme est lion, le lion n'est pas homme. L'érotisme n'est pas une simple imitation de la sexualité : il en est la métaphore [2]. »

Puisque nous en sommes à une citation de Paz, nous aimerions pour finir en présenter une autre, du même poète, qui nous permettrait de rectifier et de prolonger à la fois notre propos. Paz, en effet, est, plus que personne, sensible à cette « érotique » de l'écriture dont nous avons essayé de saisir la nature, mais il en connaît aussi les limites. Il écrit : « La poésie vit dans les couches les plus profondes de l'être, alors que les idéologies et tout ce que nous appelons idées ou opinions forment les strates les plus superficielles de la conscience [3]. » Cette affirmation est curieuse. Apparemment elle dissipe un certain nombre de confusions, en situant très clairement l'activité poétique (donc tout ce « travail » du désir, avec ce qu'il implique de mobilisation de l'inconscient, de référence à l'*obscur*) dans « les couches les plus profondes de l'être ». Mais en rejetant les « idéologies » dans « les strates les plus superficielles de la conscience », en les séparant donc de cette réalité *profonde*, elle laisse supposer que le monde du désir serait une sorte d'espace — bien « enfoui » et bien protégé de l'histoire. Or, cela est à la fois vrai et faux. On ne peut soupçonner Paz d'une

1. Jean Starobinski, *La Relation critique*, p. 271.
2. Octavio Paz, « L'au-delà érotique », in *Arguments*, n° 21, 1er trimestre 1961.
3. Octavio Paz, *L'Arc et la Lyre*, éd. Gallimard, p. 47. Cité par Henri Meschonnic, in *Pour la Poétique*, éd. Gallimard, p. 54.

vision idéaliste de la création littéraire : il faut donc compléter son analyse en précisant qu'entre la zone du désir et la zone de l'idéologie, un incessant va-et-vient dialectique s'établit, qui interdit leur séparation. Peut-être cette séparation se réalise-t-elle, ou plutôt donne-t-elle l'illusion de se réaliser, dans certains cas extrêmes où le texte littéraire — singulièrement le poème — atteint un tel degré de tension que le désir « pur » paraît s'y clore sur lui-même [1]. Mais, dans la généralité de la pratique textuelle, notamment dans le cas du texte de prose dont nous aurons beaucoup à nous occuper ici (et l'on peut songer à l'exemple particulièrement caractéristique de la prose nervalienne, avec tout ce qui l'anime, toute l'« histoire » qui s'y est déposée, toute l'idéologie romantique qu'elle draine, au-delà de ses tonalités subjectives), les choses ne sont jamais pures. C'est même cette impureté qui fait la complexité du travail littéraire, ce qu'on pourrait appeler sa richesse en contradictions, et qui en définitive l'enracine dans le réel. Voilà pourquoi nous serons souvent amenés à introduire dans nos recherches des considérations qui tiennent à l'histoire littéraire et même à l'histoire — c'est-à-dire la situation idéologique — de l'auteur : le lieu, les conditions de son travail de production. Cela ne contredit nullement, selon nous, l'orientation que nous donnons à ces recherches, qui est celle d'une poétique du désir, mais au contraire la libère des hypothèques et présuppositions de toute nature qui conduiraient à faire du désir un espace abstrait. Chose qui nous semble redoutable entre toutes. Faut-il le dire ? Il nous paraît impossible de situer l'intervention du désir dans la production d'un texte littéraire au niveau de la fonction poétique seule — pour reprendre la distinction jakobsonienne — en éliminant la fonction référentielle. Jakobson, lui-même, a d'ailleurs noté fort justement : « La suprématie de la fonction poétique sur la fonction référentielle n'oblitère pas la référence (la dénotation), mais la rend ambiguë. A un message à double sens correspondent un destinateur dédoublé, un destinataire dédoublé et, de plus, une référence dédoublée — ce que soulignent nettement, chez de nombreux peuples, les préambules des contes de fées : ainsi par exemple, l'exorde

1. Ce qu'exprime le très beau propos de René Char : « Le poème est l'amour réalisé du désir demeuré désir », *Fureur et Mystère*, éd. Gallimard, p. 85.

habituel des conteurs majorquins : ‘ Aixo era y no era ’ (cela était et cela n’était pas) [1]. » C’est la formule qu’on aurait envie d’appliquer à de nombreux textes de Nerval, de Lautréamont, d’Apollinaire et d’Eluard : cela est et cela n’est pas. Plus que d’autres, ces poètes ont répondu aux exigences du désir qui les a conduits à écrire, c’est-à-dire à construire des formes littéraires figurant leur angoisse du temps, la violence de leurs fantasmes, leur incantation érotique — les multiples visages de leur « attente ». Mais, plus que d’autres, ils ont enraciné cela dans une expérience « réelle », mettant en jeu leur vie même (et à quel point dans le cas de Nerval ou de Lautréamont !) et s’inscrivant profondément dans l’histoire de leur temps. Donc, ce qu’ils nous disent *est*. Et pourtant, en même temps, n’*est pas*, ou plutôt n’a d’autre existence que ce projet « désirant » qui s’est accompli dans l’écriture.

Le refus de séparer le désir de l’histoire est peut-être ce qui en définitive guide fondamentalement nos recherches. Tandis qu’elles se développaient, nous avons senti de plus en plus nettement, à propos des œuvres que nous tentions d’interroger, que nous étions conduits à une forme de *lecture* critique visant à la fois à faire apparaître tout ce qui « traverse » un texte et pénètre profondément son organisation, ses structures, son écriture, et à mettre ce texte *en situation* — c’est-à-dire en relation avec le lieu réel d’où ce travail a été produit. Que la notion de désir ne contredise pas celle de travail reste en définitive la découverte la plus positive que nous aurons faite. Toute réflexion sur la littérature devrait, nous semble-t-il, y ramener.

1. Roman Jakobson, « Linguistique et poétique », in *Essais de linguistique générale,* éd. de Minuit et Seuil, coll. « Points », p. 239.

Nerval

Le texte de Nerval

1. ÉCRITURE/EXPÉRIENCE

A-t-on lu le *texte* de Nerval ? La question n'est pas déplacée, si l'on songe que cet écrivain sans cesse « redécouvert » depuis un demi-siècle, l'a toujours été à travers des formes de sensibilité et de culture où toute une « idéologie littéraire » extrêmement prégnante a eu la plus large part : barrésisme tendancieux des premières explorations, discours surréaliste, mystique de l'interprétation et du décryptement orientée vers la recherche occultiste et ésotérique, commentaire spiritualiste à la manière d'Albert Béguin, sans parler de l'érudition nervalienne elle-même qui, si respectable et féconde soit-elle, a de plus en plus tendu, au cours des années, à se constituer comme une fin en soi, à fermer étroitement le cercle de ses réseaux et mots de passe. Au point que l'on peut se demander si l'écriture de Nerval n'a pas été occultée, dissimulée, sous un certain nombre de masques. On peut assez légitimement dire d'elle ce que Philippe Sollers a pu dire de celle de quelques autres écrivains, comme Sade, Mallarmé, Artaud ou Bataille : « Dans tous les textes en question, la théorie de l'écriture est là, immanente, à l'épreuve : mais elle est perçue en général comme délire, fantasme, poésie, hermétisme, déviation individuelle, etc. [1]. » Proust est peut-être le seul — et en une époque où ce n'était pas courant — qui, ayant eu à parler de Nerval, a voulu d'abord souligner que son œuvre, à ses yeux, et notamment un texte comme *Sylvie,* était admirée « à contresens », qu'elle devait être lue comme « le rêve d'un rêve » (étrange expression qui signifie que le rêve

1. « Ecriture et révolution », in *Théorie d'ensemble,* éd. du Seuil, p. 72.

de la vie a été recomposé par celui de l'écriture et qui trouve aujourd'hui une curieuse justification dans ce propos de Gérard Genette selon lequel l'*état poétique du langage* est le langage *à l'état de rêve,* étant entendu que le rêve n'est pas, par rapport à la veille, un « écart », mais une sorte de *production* nouvelle, irréductible à une réalité « référentielle » [1]), qu'il était d'abord un « grand écrivain » créant « sa forme d'art en même temps que sa pensée [2] ». Ce mot de *pensée* gêne d'ailleurs et il faut reconnaître que Proust l'a employé avec insistance, comme Georges Poulet l'emploiera dans une de ses plus célèbres études, lorsqu'il traitera de *Sylvie ou la pensée de Gérard de Nerval* : mais il faut comprendre que, de Proust à Poulet, la nouvelle approche critique de l'œuvre de Nerval qui se dessinait, tendait à établir un lien organique étroit entre le langage de Gérard et sa présence au monde, entre sa « parole » et sa « vision ». Et la voie proustienne de la connaissance de Nerval allait bien dans le sens de la profonde mise en cause de tout un « nervalisme », aveugle au texte de l'écrivain.

Aujourd'hui les choses ont changé. Elles changent. Les instruments de la critique moderne, avec notamment les recherches « thématiques » de Jean-Pierre Richard, les analyses psycho-critiques de Charles Mauron, et beaucoup d'autres travaux qui les ont suivies, nous ont ramenés à la *lecture* de Nerval. Et l'on peut voir Roland Barthes se féliciter, dans la préface d'un ouvrage sur les romans de Robbe-Grillet, de constater que la critique semble user pour parler d'un romancier contemporain « d'une méthode de déchiffrement qu'on a mis chez nous un demi-siècle à appliquer à des auteurs comme Nerval ou Rimbaud [3] ».

Si cette méthode existe, il est vraisemblable que son champ d'application en est l'œuvre de Nerval *tout entière*. Et qu'elle n'a été rendue possible que par la connaissance de plus en plus poussée et précise que nous avons aujourd'hui de cette œuvre (il faut revenir cette fois à l'érudition nervalienne, pour lui rendre hommage, et prendre acte de tout ce qu'auront permis les capitales investigations de Jean Richer). Car une question fondamentale se pose : N'est-

1. Gérard Genette, « Langage poétique, poétique du langage », in *Figures II,* coll. « Tel Quel », éd. du Seuil, p. 152.
2. Proust, « Sur Nerval », in *Contre Sainte-Beuve,* éd. Gallimard.
3. Préface à l'ouvrage de B. Morrissette, *Les Romans d'A. Robbe-Grillet,* éd. de Minuit, coll. « Arguments ». p. 13.

ce pas dans ses écrits de prose que Nerval doit être prioritairement et « essentiellement » *lu* ? Ne constituent-ils pas le véritable *texte* de Nerval ? Question qui paraîtra provocante ou aberrante à qui voit d'abord en lui un poète. Mais il nous semble justement que Nerval a terriblement souffert d'être considéré avant tout comme un poète, que cela a gravement contribué à masquer le vrai sens et la vraie portée de son *écriture*. Ses « odelettes », ses « poésies diverses », mises à part quelques réussites discrètes, ne sont que très peu de chose. Et les sonnets des *Chimères,* tellement célébrés et vantés (à une certaine époque, d'ailleurs, qui n'est plus tout à fait la nôtre — il y aurait à s'interroger sur ce sensible éloignement, cette sensible « diffraction » d'un certain enthousiasme critique), offrent l'exemple d'une poésie si dense, si saturée d'effets irradiants, si « prise » dans l'éclat de son langage et de sa symbolique, qu'elle en devient comme *arrêtée,* immobile, close, n'offrant jamais la fissure, l'ouverture, le « défaut », le « décentrement », le « jeu », par où une véritable écriture peut se faire jour et devenir véritablement productrice de sens. C'est pour cette raison qu'ils sont devenus de plus en plus le support d'exégèses et de commentaires divers et ont vu se restreindre, proportionnellement, ce qui aurait pu être, en eux, l'*espace d'une lecture.* Il nous semble que Paule Thévenin a assez remarquablement pris conscience de cela, lorsque citant des appréciations d'Antonin Artaud sur l'article très exégétique de Georges Le Breton, *La clé des Chimères : l'alchimie,* publié en 1946 dans *Fontaine,* elle fait observer que la mauvaise humeur d'Artaud devant ce texte s'expliquait par l'espèce de « réduction » qu'il imposait à l'œuvre décryptée, même si la « clé » ouvrait de nombreuses portes, ou peut-être *parce qu'*elle les ouvrait. « On peut surtout reprocher à Georges Le Breton, écrit-elle, de n'avoir pas su utiliser sa trouvaille et, quelque peu grisé par sa découverte, de s'être uniquement occupé d'expliquer *les Chimères* par un système d'analogie à la symbolique des tarots ou à celle de l'alchimie, d'en être presque arrivé à occulter l'essentiel : le choix des mots, l'articulation des vers, la tonalité des poèmes, la multiplicité de sens dont Nerval les tisse, leur *trajet* [1]. »

Or ce *trajet* de sens, qui effectivement est une chose fondamentale

1. Paule Thévenin, « Entendre/voir/lire », in *Tel Quel,* n° 39, automne 1969.

chez Nerval, nous paraît en définitive, plus riche, plus net, plus original et mieux perceptible dans son œuvre de prose, pour la simple raison que l'écriture, dans le sens à la fois le plus fort et le plus précis du terme, en assure mieux le relais. Si Nerval est totalement ***écrivain,*** c'est surtout dans *Aurélia* et dans certains textes des *Filles du feu.* Là, sa « pensée » n'est absolument pas séparable de son écriture, du mouvement de son écriture qui, des zones de l'inconscient à celles de la plus lucide conscience, de celles de l'inconnu à celles de la connaissance, du monde de l'inorganisé (la folie, la nuit, les brouillards de la mémoire) à l' « organisation » littéraire la plus cohérente, accomplit en effet irréversiblement son « trajet ». Et c'est finalement dans ces œuvres qu'il est le plus authentiquement *poète.* A ce propos, il nous paraît nécessaire de souligner que, parmi tous les écrivains auxquels est attentive la conscience littéraire moderne, Nerval est, avec Lautréamont, un de ceux dont la production impose le plus d'affirmer l'indistinction prose/poésie. Passons sur certaines déclarations dont il était coutumier : « Je ne vous rendrai jamais vos bons conseils et votre exemple qui m'ont fait ce que je suis, c'est-à-dire ce que je veux être, un prosateur énergique et un conteur facile » (lettre à Alexandre Dumas de novembre 1853), « La dernière folie qui me restera probablement, ce sera de me croire poète » (préface des *Filles du feu*). Il est un texte, beaucoup plus précis, lui, où il exprime avec une inquiétude qui n'est pas loin du refus, son embarras devant une « différence » qui lui paraît dépourvue de signification. C'est un fragment de *la Bohème galante,* mais qui fut, dans la suite, supprimé de l'œuvre. On y lit : « ... Il est difficile de devenir un bon prosateur, si l'on n'a pas été poète — ce qui ne veut pas dire que tout poète puisse devenir un prosateur. Mais comment expliquer la séparation qui s'établit presque toujours entre ces deux talents ? Il est rare qu'on les accorde tous les deux au même écrivain, du moins l'un prédomine l'autre [1]. » Proust a été très sensible à cette double vocation de l'écriture nervalienne, et, dans le texte que nous citions plus haut, il insiste sur l' « indétermination » du génie de Nerval, se demandant d'ailleurs si elle n'est pas une faiblesse (si elle n'a pas eu pour conséquence de faire de lui

1. Ce fragment de *la Bohème galante* terminait le chapitre VIII, « Musique », dans *l'Artiste* du 15 septembre 1852, Pléiade, t. I, p. 467.

un « auteur de second ordre », aux yeux de l'institution littéraire), mais concluant en toute netteté que ses vers et ses nouvelles ne sont « que des tentatives différentes d'exprimer la même chose ».

Or, ce que ressentait Nerval lui-même confusément et ce que tentait de formuler Proust, la connaissance moderne que nous avons de la nature même de l'écriture littéraire, nous le confirme. On peut être frappé d'une remarque de Roman Jakobson, dans son étude fameuse *Linguistique et poétique,* sur les rapports qui existent entre « la résurrection des poètes négligés ou oubliés » et l' « expansion » de phénomènes linguistiques qui nous permettent une meilleure approche du fait littéraire. Jakobson cite Gerard Manley Hopkins, Lautréamont et le poète polonais Cyprien Norwid, mais son analyse serait parfaitement applicable à Nerval. Il écrit : « Il y a une correspondance étroite, beaucoup plus étroite que ne pensent les critiques, entre la question de l'expansion des phénomènes linguistiques dans le temps et dans l'espace, et celle de la diffusion spatiale et temporelle des modèles littéraires. » Et il montre que tels écrits sont nécessairement *lus* d'une manière différente, du jour où tombent les barrières qui séparaient, ou du moins maintenaient distinctes, les catégories traditionnelles de l'expression littéraire, prose et poésie : « Cette manière de séparer les deux domaines repose sur une interprétation courante, mais erronée du contraste entre la structure de la poésie et les autres types de structures verbales : celles-ci, dit-on, s'opposent par leur nature fortuite, non intentionnelle, au caractère intentionnel, prémédité, du langage poétique. En fait, toute conduite verbale est orientée vers un but, mais les objectifs varient — ce problème, de la conformité entre les moyens employés et l'effet visé, préoccupe de plus en plus les chercheurs qui travaillent dans les différents domaines de la communication verbale [1]. » Il est parfaitement évident que l'émergence de la notion de *texte* [2], telle qu'on l'entend de plus en plus volontiers aujourd'hui, nous

1. Roman Jakobson, « Linguistique et poétique », in *Essais de linguistique générale,* éd. de Minuit.

2. Henri Meschonnic écrit, dans *Pour la poétique,* éd. Gallimard, p. 146 : « L'apport le plus fort de la recherche critique moderne déjà est bien l'indistinction formelle entre « prose » et « poésie » qui n'apparaissent plus que comme les outils conceptuels les plus mal faits pour saisir la littérature, et survivances longues à chasser mais certes plus opératoires, devant la notion de *texte.* »

permet une bien meilleure « situation » de l'œuvre de Nerval. Elle se révèle singulièrement opératoire dans le cas d'un écrit comme *Aurélia,* dont le premier caractère — cela est trop connu pour qu'on y insiste — est de ne relever d'aucune des catégories classées et reconnues du discours littéraire et de n'être pas plus prose en poésie que poésie en prose. Mais elle rend parfaitement compte de l'ensemble de ce qu'a pu produire, dans les formes narratives ou descriptives les plus diverses, l'écriture nervalienne.

Il est d'ailleurs intéressant de voir ce que signifie réellement la distinction poésie/prose dans l'œuvre de Nerval. Il n'est peut-être pas risqué d'avancer qu'elle recouvre en fait une différence d'approche critique, concernant non pas tel ou tel écrit particulier, mais l'œuvre dans son ensemble. Il nous semble en effet que, chaque fois que l'on parle de *poésie* à propos de Nerval, on adopte presque aussitôt une attitude de connaissance « profonde » et subjective, impliquant une sorte de relation spirituelle, une participation à un phénomène sacré ou à une réalité « mythologique » secrète. C'est la position qui, d'Albert Béguin à divers exégètes des *Chimères,* n'a cessé d'être prédominante. Si l'on insiste au contraire sur une *lecture* de sa *prose,* on est amené à saisir son œuvre au niveau de sa texture, de son organisation, de sa matérialité formelle, des nervures de son écriture, de son *tracé.* La première attitude, que Georges Poulet a définie comme fondamentalement intersubjective (il parle justement à ce propos de « critique de participation ») est de celles que Gérard Genette propose de désigner du nom d'*herméneutique* (emprunté à Dilthey, Spitzer, Ricœur surtout). La seconde, de celles qui peuvent, selon lui, se situer dans le champ d'une recherche structurale. « A propos d'une même œuvre, dit-il, la critique herméneutique parlerait le langage de la reprise du sens et de la recréation intérieure, et la critique structurale celui de la parole distante et de la reconstruction intelligible [1]. » *A propos d'une même œuvre* est très important. Il est en effet évident que ce double système d'approche critique joue sur un même texte, le découvrant dans certaines de ses significations, l'occultant dans d'autres, alternativement, simultanément ou complémentairement. Dans le cas de Nerval, il paraît manifeste que l'interprétation a constamment

1. Gérard Genette, « Structuralisme et critique littéraire », in *Figures I,* coll. « Tel Quel », éd. du Seuil, p. 161.

eu priorité sur la lecture et que le moment est donc venu de mettre la *lecture* à l'ordre du jour. Certes, on voit aisément les raisons qui ont pu faire des écrits de Nerval et notamment de sa poésie un terrain privilégié (et même prédestiné) de la recherche herméneutique : elles sont si claires qu'il serait probablement superflu de les énoncer. Mais c'est précisément leur prégnance, leur force de pression, qui doit nous amener à un renversement critique et à rétablir un équilibre depuis trop longtemps compromis. C'est cela, rien de plus, mais rien de moins, que veut dire *lire* Nerval et découvrir le *texte* nervalien.

Cette lecture sera d'autant plus réalisable que l'œuvre de Nerval offre une forte unité, malgré sa dispersion apparente sur laquelle nous aurons à revenir, se présente véritablement comme un cercle à l'intérieur duquel de multiples parcours se croisent, se recoupent, se recouvrent, d'innombrables réseaux se tissent. Cette idée de *cercle* doit presque être prise à la lettre tant Gérard lui-même y a insisté : « Une fois débarrassé de ces inquiétudes, je sortirai, selon le conseil d'Antony, de cette disposition à n'écrire que des impressions personnelles qui vient de ce que je tourne dans un cercle étroit », écrivait-il au Dr Blanche le 10 décembre 1853. Et à Georges Bell, rappelons-le : « Je me nourris de ma propre substance et ne me renouvelle pas. » A vrai dire, cette « substance » close, ce cercle étroit, c'est très exactement le champ, le « lieu » de l'écriture nervalienne. Et parce qu'elle se déploie dans un espace parfaitement circonscrit et homogène, il convient de la prendre pour ce qu'elle est, de la suivre telle qu'elle est, sans la renvoyer à un *ailleurs* qui serait « l'expérience » du poète. Ou plutôt, cette expérience, il importe de voir qu'elle n'a de vérité que dans le dessin textuel qui la dépose du cercle de la vie dans celui de l'écriture [1]. Le texte de Nerval est un *milieu*, vivant, sensible et productif, où toute une réalité « référentielle » (tenant certes à la vie, au psychisme, à l'aventure spirituelle, et, au-delà, à la folie, à la mort) s'inscrit en formes et en signes. Ce lieu a pour composantes le temps — non pas n'importe quel temps : celui dont Nathalie Sarraute dit qu'il a cessé « d'être ce courant rapide qui pousse en avant une intrigue, pour devenir une eau dormante au fond de

1. Jean Starobinski : « ... l'écriture n'est pas le truchement douteux de l'expérience intérieure, elle est l'expérience même », *la Relation critique,* p. 18.

laquelle s'élaborent de lentes et subtiles décompositions [1] » — et la chaîne très concrète des objets, gestes, décors, images, thèmes qui sont les *indices* des « significations » auxquelles Nerval accède [2]. L'écriture traverse et organise tout cela, impose sa nécessité à ce qui ne serait autrement que données contingentes et éparses, en particulier dans le cas d'une existence toute ruinée de contradictions et de misères, menacée de « désintégration » spirituelle et mentale, et finalement, en produisant un sens « nouveau », impose le triomphe de l'ordre du désir.

Mais, bien entendu, il y a *le* texte et *les* textes. Ceux sur lesquels nous nous appuierons correspondent à ce qu'on pourrait appeler le *récit* nervalien. Le mot *récit* doit être pris ici dans un sens bien précis. Il ne s'agit pas d'opposer cette notion à celle de roman, comme le faisait Gide dans son projet de préface pour *Isabelle* en mettant en lumière un antagonisme unité/diversité, concentration/déconcentration dans le « possible » des organisations narratives. Il s'agit simplement de nommer *récit* ce qui chez Nerval n'est visiblement ni nouvelle, ni conte, ni chronique, ni journal, ni poème en prose, mais ne peut précisément se définir autrement que par un mouvement narratif pur ne correspondant à aucun schéma préétabli, inventant à tout moment sa ligne et sa forme, créant sa propre modulation à travers la voix d'un *récitant* parlant à la première personne. Historiquement, cela correspond vraisemblablement à une époque où la *parole* subjective, cherchant à capter le langage de la mémoire, du rêve ou de vécu hors de tout genre et de tout cadre reconnu, éprouve un certain embarras à se faire écriture. Au siècle précédent, déjà, elle se répand en œuvres brèves, « promenades », « rêveries », « souvenirs », ébauches romanesques inaccomplies. Il s'agit bien, loin d'une littérature constituée, de ce qu'on pourrait appeler un *récit* primordial. Ce *récit*, dont Michel Butor a parfaitement raison de souligner le caractère à la fois élémentaire et profondément instinctif, est celui dans lequel « nous baignons tous », qui « nous donne le monde » dans la mesure où nous le

1. Nathalie Sarraute, *L'Ere du soupçon,* coll. « Idées », éd. Gallimard, p. 80.

2. Georges Mounin, à propos de Roland Barthes : « Ce vêtement ou cet objet, ce geste, cette image, ce spectacle, ce roman, qu'il saisit avec une intuition particulièrement fine de psycho-sociologue, sont probablement des *indices* », *Introduction à la sémiologie,* éd. de Minuit, p. 14.

formulons, et nous oblige à nous interroger à tout instant sur la « distinction entre le réel et l'imaginaire, frontière très poreuse, très instable », frontière qui recule ou se déplace sans cesse [1]. Nerval est certainement un des écrivains français qui ont le mieux senti cette souplesse, cette extrême sensibilité créatrice (cette richesse de « possibles ») du langage libre, vivant, délivré de toute clôture formelle. C'est parce qu'il *s'invente* toujours lui-même, n'est pas un « genre », mais s'en remet au pur mouvement de l'écriture, que le récit nervalien révèle une aptitude exceptionnelle à s'approprier les territoires les plus divers du réel et de l'imaginaire, de l' « expérience » et de la mémoire. Quelqu'un parle à la première personne, *ne peut que* parler à la première personne, et, disant *je,* tout ensemble parle et s'écoute, se cherche et se trouve, raconte et *se* raconte. Aussi cette *narrativité* essentielle entretient-elle des rapports singuliers avec le journal intime, comme l'a montré Maurice Blanchot : « Ce n'est pas parce que le récit raconte des événements extraordinaires qu'il se distingue du journal... C'est parce qu'il est aux prises avec ce qui ne peut être constaté, ce qui ne peut faire l'objet d'un constat ou d'un compte rendu. Le récit est le lieu d'aimantation qui attire la figure réelle aux points où elle doit se placer pour répondre à la fascination de son ombre. *Nadja* est un récit. » Avec cette précision capitale et étrangement éclairante dans le cas de Nerval : « On raconte ce qu'on ne peut rapporter. On raconte ce qui est trop réel pour ne pas ruiner les conditions de la réalité mesurée qui est la nôtre [2]. »

Dans une certaine mesure, tout est récit chez Nerval. Il nous paraît impossible d'étudier telle ou telle de ses œuvres sans essayer de comprendre comment et pourquoi il écrivait. Ainsi, hors de toute illusion, il est indispensable, avant toute « lecture », de cerner le plus rigoureusement possible les conditions *réelles* dans lesquelles il travaillait.

1. Michel Butor, « La notion de récit et le rôle du roman dans la pensée contemporaine », in *Répertoire II,* éd. de Minuit, p. 88.
2. Maurice Blanchot, « Le journal intime et le récit », in *le Livre à venir,* éd. Gallimard, p. 225.

2. CONDITIONS DE PRODUCTION

I. CADRE POLITIQUE.

Nerval est le représentant typique d'une génération d'hommes dont les pères ont fait les guerres de l'Empire et qui, bercés dans leur enfance au bruit de ces campagnes, se sont réveillés un jour frustrés, traumatisés, jetés dans un monde vide et sans gloire où leur énergie était condamnée à languir et à s'épuiser. Monde sans avenir, tout entier tourné vers les rêves, les illusions, les images fascinantes mais aussi les échecs d'un passé proche : monde de la mémoire, monde du regard en arrière, monde de la fuite devant le présent. « ... nous, dit Nerval dans *Aurélia* en parlant de ses contemporains, nés dans des jours de révolutions et d'orages, où toutes les croyances ont été brisées [1]... » Dans son cas particulier la blessure initiale est traduite, rendue manifeste par la perte de sa mère dont il liera à jamais la disparition aux tourmentes de l'époque napoléonienne, aux épreuves de la retraite de Russie. Le « conflit de générations » qui l'opposera à son père, rendu indirectement responsable de cette mort, n'en sera que plus vif : personnalisé en somme. Cela Gérard l'a toujours fortement ressenti. Il a parlé dans ses *Promenades et Souvenirs* des « images et deuil et de désolation » qui ont marqué son enfance et n'a pas hésité à faire remonter à son premier âge les malaises qu'il croyait à l'origine de sa destinée littéraire : « Il y avait là de quoi faire un poète, et je ne suis qu'un rêveur en prose [2]. »

Il sera au nombre de ces jeunes gens dont la révolte sera désamorcée par un siècle plat, par les régimes peu exaltants de la Restauration et de la monarchie de Juillet qui seront le cadre historique de leur adolescence et de leur jeunesse : elle ne trouvera pas l'occasion de s'exprimer sérieusement et au lendemain de 1830 se dégradera en agitation, en turbulence, en tapage. Il est caractéristi-

1. Pléiade, t. I, p. 386.
2. Pléiade, t. I, p. 135.

que que Nerval ait été incarcéré à deux reprises à Sainte-Pélagie en 1831 et en 1832, mais la première fois pour tapage nocturne (parce qu'il faisait du *bouzingo* dans la rue avec quelques « Jeune France » au sortir d'un banquet trop bien arrosé), la deuxième fois au hasard d'une rafle — c'était pourtant au lendemain du complot de la rue des Prouvaires. Il est non moins caractéristique qu'il ait relaté ces incarcérations en des pages qui, si pittoresques et détendues soient-elles [1], n'en cherchent pas moins à donner à cette expérience une valeur de témoignage, à la colorer du souvenir de Silvio Pellico : maigres « prisons » pourtant où la fantaisie bruyante et l'indiscipline joyeuse sont les pâles substituts des grands défis politiques.

Aussi n'est-il pas surprenant de constater que Nerval ne refuse pas dans la suite de sa carrière de se laisser placer à plusieurs reprises dans une certaine position de dépendance vis-à-vis du pouvoir politique. Les raisons qui l'y conduisent sont parfaitement honorables et tout à fait explicables par les vicissitudes de sa situation matérielle. Ces épisodes de sa vie d'écrivain n'en sont pas moins révélateurs. C'est grâce à la protection de Maurice Lingay, secrétaire de Guizot, et probablement sur une intervention de Victor Hugo qu'il obtient sa mission de 1839-1840 en Autriche (qu'il souhaitait même pousser jusqu'à Constantinople). Sa correspondance atteste qu'il était entré en relations suivies avec le cabinet du comte Duchâtel, ministre de l'Intérieur de Louis-Philippe, et notamment avec des hommes comme Mallac, maître des requêtes et chef de cabinet du ministre, ou Edmond Leclerc, secrétaire particulier de Duchâtel : il semble s'être engagé à les renseigner lors de son voyage sur la presse allemande et autrichienne, l'état des esprits, certains problèmes de contrefaçon littéraire [2]. En 1840 encore il demande à Leclerc de Bruxelles une nouvelle mission pour « un travail dont l'*opportunité* serait incontestable [3] » : une enquête sur la propriété littéraire, la question des contrefaçons en Belgique en liaison avec

1. Pléiade, t. I, p. 50-58 : *Mes prisons, Sainte-Pélagie en 1832.* — Voir aussi dans les *Odelettes* le poème *Politique* (dont le contenu précisément est aussi peu *politique* que possible).

2. Voir par exemple la lettre du 10 janvier 1840 à Mallac, t. I, p. 43.

3. Lettre du 7 décembre 1840, t. I, p. 881.

les intérêts de la librairie belge. En 1841, il sollicite d'Auguste Cavé, directeur général des Beaux-Arts au ministère de l'Intérieur « les fonds nécessaires à un petit voyage » d'information et de documentation qui le conduirait à travers la France. Au même, il demande quelques mois plus tard l'aide « d'une légère somme mensuelle » qui lui permettrait peu à peu de « reprendre (sa) position littéraire, sans risquer de nouveaux accidents » et il le prie de remercier le ministre « des véritables bienfaits dont la mémoire ne s'effacera jamais en lui [1] ». Il obtient en fait en 1841 et en 1842 deux secours de trois cents francs de Villemain, ministre de l'Instruction publique (secours largement motivés par sa situation de santé).

De telles faveurs ou de telles aides, normales dans la carrière d'un écrivain, n'impliquent sans doute aucune forme d'allégeance particulière au régime de la monarchie de Juillet (d'ailleurs en 1853 et en 1854 Nerval obtenait d'un régime différent — celui du second Empire — d'autres secours et une nouvelle mission [2]). Il reste que ces secours, ces missions, ces charges plus ou moins officieuses — auxquelles il faudrait ajouter certains démêlés du poète avec la censure dramatique, les appuis matériels dont il avait souvent besoin pour faire représenter ses pièces — tissaient autour de l'activité littéraire de Nerval un réseau de menues dépendances. Il en était parfaitement conscient. Nous en avons la preuve quand nous le voyons répondre, dans une lettre de mai 1849 à Auguste Lirieux, à un article de Champfleury qui le mettait en cause [3] : « Tout littérateur, écrit-il, comme tout artiste, comme tout homme politique appartient à la publicité ; il est même difficile de tracer nettement pour cette dernière, la ligne qui sépare la vie publique de la vie privée... » Et il ajoute après avoir commenté quelques épisodes de son voyage en Orient : « Je ne suis donc pas un sceptique ne m'occupant ni de politique ni de socialisme... Dans ce dernier cas, comment notre ami Champfleury aurait-il pu me classer parmi les

1. Lettre à A. Cavé du 31 mars et du 18 novembre 1841, t. I, p. 901 et 911.

2. Mission en Orient pour laquelle une somme de 600 F lui est attribuée le 14 mars 1854 : mais Gérard dut y renoncer en raison de son état de santé.

3. Article publié dans *le Messager des théâtres et des arts* du 7 mai 1849.

membres de cette association, mal appréciée jusqu'ici, qu'on appela les Bousingots ? » Il poursuit en demandant si son drame *Léo Burckart* n'est pas un « drame politique », en rappelant qu'il avait été arrêté huit mois par la censure et en évoquant telles circonstances de la représentation : « Je me souviens pourtant que la salle de la porte Saint-Martin a croulé d'applaudissements, quand au deuxième acte, un des étudiants conspirateurs s'est écrié : Les rois s'en vont !... je les pousse [1]... » Cette lettre est significative, surtout si l'on tient compte de sa date (mai 1849) : il est clair qu'au lendemain des événements de 1848 Gérard s'efforce de s'y laver du soupçon d'indifférence politique, d' « apolitisme » qui pouvait peser sur lui en raison de ses bons rapports avec la monarchie de Juillet ; il est caractéristique qu'il ne trouve d'autre caution — mis à part son drame, *Léo Burckart* — que son appartenance à la confrérie des *Bousingots*. Plus intéressantes encore sont trois lettres d'octobre et novembre 1850. Dans la première Gérard s'adresse au rédacteur en chef du journal *le Corsaire* au sujet d'une note de J. Legros qui le prenait assez vivement à partie [2] : « Je n'ai jamais eu de rapports, écrit-il, avec la monarchie de Juillet, ni avec la précédente, tout en admettant qu'on ait pu honorablement les servir » (on notera l'emploi du *on*, assez curieux et révélateur, dans cette dernière phrase), et il n'hésite pas à ajouter : « Je n'ai jamais eu de mission ni pour l'Allemagne ni pour l'Orient. J'ai seulement touché une indemnité *due* pour la suppression d'une pièce [3]. » Dans la première lettre de novembre — adressée à Auguste Nefftzer, rédacteur de *la Presse*, il écrit : « Un journal m'a adressé, ces jours-ci, le reproche d'avoir

1. Lettre du 8 mai 1849, t. I, p. 975.

2. La note — dont le titre est « Encore un fantaisiste qui tourne au rouge » — vaut d'être en partie citée : « ... Pas un homme de lettres n'ignore que sous la monarchie de Louis-Philippe, M. Gérard de Nerval était plus royaliste que le roi, et ce n'est pas nous qui lui en faisons un crime. Il travaille aujourd'hui dans *la Presse* et au *National*. Fort bien. Mais sous le gouvernement de Juillet, il était employé à *l'Esprit public* (affirmation erronée due à une confusion) et il raillait avec beaucoup d'esprit *le National* et les républicains dans *le Figaro*. Bien plus, il obtenait des missions du ministère de l'Instruction publique. C'est ainsi qu'il est allé en Allemagne et en Egypte. M. Gérard de Nerval est un homme de talent. C'est à regret que nous le voyons se jeter dans le parti des sans-culottes qu'il a si cruellement persiflé jadis. »

3. 30 octobre 1850, t. I, p. 1004.

changé de conviction... On a supposé, de plus, que j'avais fait des voyages aux frais de la monarchie de Juillet... Je ne me suis jamais occupé de politique, et j'écris à ce titre dans les journaux de diverses opinions qui veulent bien admettre mes articles. Je n'ai jamais rien demandé à la monarchie, je n'en ai jamais rien reçu : je n'ai eu à remplir aucune mission. Et c'est seulement par la suite d'une pièce de théâtre que j'ai partagé avec le directeur, dont les intérêts avaient été lésés comme les miens, une indemnité de quelques centaines de francs — que j'ai, de plus, rendue en travaux sur la *contrefaçon étrangère*. J'ai toujours tenu à conserver mon indépendance entière, et je ne sais pourquoi on cherche aujourd'hui à rendre les simples littérateurs solidaires des diverses opinions que soutiennent les journaux. Cela n'arrivait pas à l'époque où George Sand, Eugène Sue et autres *rouges* écrivaient dans *les Débats* et dans *le Constitutionnel* [1]. » Dans la deuxième lettre de novembre, adressée à un rédacteur en chef de journal non exactement identifié, il insiste sur sa qualité de « littérateur indépendant de tous les partis » et indique à propos de la lettre précédente : « Il ne peut avoir été dans ma pensée de me faire d'un trait de plume deux ennemis de deux journaux qui m'ont été souvent indulgents et favorables, et la phrase tournerait même contre moi en laissant supposer que si des *rouges* ont écrit dans des journaux blancs, je puis (étant peut-être un blanc) écrire dans des journaux rouges. J'ai voulu seulement indiquer que le feuilleton devait être indépendant de la politique [2]. » Il est clair que si Nerval insiste alors avec tant de force sur l'idée de l'indépendance de la vie littéraire, c'est sans doute qu'il ne s'était pas toujours senti aussi « indépendant » qu'il l'aurait souhaité en face du régime que viennent de renverser les événements de 1848.

Ces événements, il les suit avec attention et avec sympathie. Certes l'intérêt qu'il porte aux doctrines socialistes, à Fourier et aux *prophètes rouges* — Buchez, Lamennais, Towianski, Considérant, P. Leroux, Proudhon [3] — relève surtout de la curiosité ésotérique, et le sous-titre les *Précurseurs du socialisme* qu'il donne aux *Illumi-*

1. 1er novembre 1850, t. I, p. 1005.
2. P. 1006-1007.
3. Cf. les textes de l'*Almanach cabalistique pour 1850, le Diable rouge* (1849), Pléiade, t. II, p. 1230-1235.

nés est, de son propre aveu, « *un faux titre* très réel [1] ». Mais en 1849, au lendemain des manifestations qui ont eu lieu le 13 juin à Paris, il écrit à Théophile Gautier quelques phrases qui méritent d'être notées. Le 15 juin 1849, il parle de « ce qui vient de se passer à Paris, une révolution manquée, une journée absurde » et ajoute « tout est fini pour longtemps selon les apparences ». Le 16, il constate : « La pauvre montagne est rasée, les principaux sont arrêtés, et ils ont été peu brillants. On n'a plus à craindre que la férocité des gens paisibles, lesquels ne tarderont pas à nous ramener d'autres dangers [2]. »

Quoi qu'il en soit, les positions de Nerval en face des grands événements politiques de son temps restent celles d'un libéral. Il est aisé de voir que ses vraies préoccupations se situent hors du domaine de l'histoire. Mais il faut aussi comprendre que ce genre d'attitude s'explique tout de même en fonction de l'histoire dans la mesure où s'y reflète une volonté, consciente ou non, de prendre des distances par rapport à une réalité aussi décevante que celle qu'ont vécue les contemporains de la chute de l'Empire et de l'échec de deux révolutions. Comme le note justement Marc le Bot : « L'introduction des mythes, du merveilleux, dans un système de pensée et plus clairement encore dans certaines formes de la vie, en tant que thèmes transcendants pratiquement vécus, dénonce une impuissance ou une insatisfaction de la pensée devant le réel, manifeste la valeur de la compensation de l'imaginaire. Le mythe permet d'organiser la vie mentale et le cas échéant la vie sociale. Le romantisme français, en général, voit se produire un grand jaillissement de mythes ; mais l'utilisation proprement, délibérément littéraire des mythes est peut-être ce qui caractérise le plus particulièrement ce mouvement des esprits [3]. »

1. Nerval ne semble pas avoir été particulièrement sensible aux formes de la misère sociale de son temps, mais lors de son voyage en Egypte, il note à plusieurs reprises : « Le peuple est très pauvre, ce qui est assez triste à voir, et le tiers des gens a les yeux malades » (à son père, 2 mai 1843) ou : « Ce qui est triste, c'est la pauvreté de la population : tu as bien fait de mettre le Caire en ballet avant de le voir » (à Théophile Gautier, 2 mai 1843).

2. T. I, p. 978 et 980.

3. Marc le Bot, « Gérard de Nerval », in *Europe*, n° 353, sept. 1958. Cf. également à ce sujet l'excellent article de Françoise Gaillard, « Nerval ou les contradictions du romantisme », in *Romantisme*, n° 1-2, 1971.

L'exemple de Nerval est caractéristique d'un type de situation où un écrivain dissocie fondamentalement son activité littéraire essentielle de son activité littéraire *pratique* : la première exprime une distance prise par rapport au réel, un repliement vers un univers mental, tandis que la seconde traduit une soumission de tous les instants aux normes, aux usages, aux nécessités de la production et de la consommation de la chose imprimée. Mais la première est étroitement tributaire des limites et des impératifs que lui impose la seconde, c'est-à-dire en fait du caractère *public* de la seconde. Nerval en était conscient. Il écrivait en 1854 à un de ses correspondants, Bamps, attaché au ministère de la Justice : « Vous savez la manière de vivre des écrivains français ; journalistes ou auteurs dramatiques, nous sommes pour ainsi dire des hommes publics. » Il résumait par là parfaitement sa situation. Mieux en effet que par des options ou des positions quelconques, c'est par les conditions mêmes qui sont faites à son travail d'écrivain, d'homme public, que se définissent les vraies relations qu'il entretient avec la réalité historique, économique et sociale de son temps.

II. CADRE ÉCONOMIQUE.

La phrase la plus lucide, la plus révélatrice, la plus douloureuse aussi, qu'il ait écrite à ce sujet est sans doute la suivante (dans le document capital et bouleversant qu'est la lettre à son père du 26 novembre 1839) : « Les hommes de lettres qui, comme Lamartine, Chateaubriand, Devigny, Casimir Delavigne, Hugo, avaient des rentes, une fortune, enfin la vie assurée d'autre part, sont ceux qui sont arrivés le plus loin et même qui ont gagné le plus d'argent, parce qu'ils en avaient déjà et qu'ils n'étaient pas contraints à détourner toute leur force sur un travail stérile comme celui des romans et des journaux, et toutefois séduisant par sa facilité [1]. » On voit ici qu'il était parfaitement conscient des terribles limites que lui imposait la nécessité où il devait se trouver toute sa vie de donner de la « copie » aux journaux pour se ménager une situation matérielle acceptable (surtout après l'échec de la folle entreprise du *Monde dramatique* dont la liquidation en 1836 engloutira l'héritage

1. T. I, p. 827-829.

qui lui était échu de ses grands-parents, c'est-à-dire le peu d'argent qui aurait pu décider, à ce moment de sa vie, de son indépendance financière).

Nous sommes à une époque où les écrivains qui ne disposent pas de ressources personnelles trouvent dans le journalisme — au sens le plus large du terme — des débouchés qui n'existaient pas auparavant. Mais les journaux et les revues — même celles qui ont un caractère intellectuel comme *la Revue des deux mondes* — n'existent qu'en fonction de leurs lecteurs et visent donc à une forme de vulgarisation littéraire à laquelle leurs collaborateurs se soumettent spontanément. L'écrivain par là même entre dans un système qui influe sur la nature de sa production. « L'œuvre intellectuelle, comme l'écrit P. Barrière, est devenue marchandise, elle dépend donc du public qui l'achète, auquel l'écrivain doit se soumettre en masquant bien souvent sa propre personnalité ; elle dépend surtout des moyens et des intermédiaires commerciaux qui peuvent assurer la publicité, l'attribution de prix. Ce sont donc des commerçants qui exercent le patronage ; directeurs de journaux, de revues, de maisons d'édition. Toutes ces influences agissent sur la vie intellectuelle, l'intellectuel se préoccupant moins de la pensée, de l'art, que de la possibilité de placement, l'écrivain spécialement tendant à n'être plus qu'un homme de lettres [1]. » Il nous semble que Nerval a plus qu'aucun autre *vécu* cette situation. Plus qu'aucun autre il a oscillé entre la condition de l'écrivain et celle de l'homme de lettres et c'est incontestablement parce qu'il est trop souvent apparu sous ce second jour à ses contemporains que sa vraie place en littérature lui a été si longtemps refusée et qu'un si tenace malentendu a été entretenu sur l'importance de son œuvre. La « possibilité de placement » de ses écrits a été une de ses préoccupations constantes et si elle n'a pas compromis la qualité de son art et de sa pensée, c'est le fait d'une chance, d'un « bonheur » littéraire assez exceptionnel. Enfin la nécessité de se soumettre au goût du public « en masquant bien souvent sa propre personnalité » est certainement une de celles qu'il a éprouvées et qui explique le double visage, l'ambiguïté, l'originalité de son œuvre.

1. P. Barrière, *La Vie intellectuelle en France,* éd. Albin Michel, 4e partie, chap. I, p. 448.

En fait, ces contraintes expliquent aussi la forme de cette œuvre. Si l'on a souvent l'impression que Gérard a été peu capable de s'engager dans des écrits de longue haleine mais a préféré multiplier les textes courts, chroniques, feuilletons, relations de voyage, contes, nouvelles, brefs *récits* de toute nature et les disperser dans les journaux et les revues, bref *dis-perser* son œuvre, c'est précisément parce que son métier de journaliste littéraire le lui imposait. La presse de l'époque a en effet besoin de « copie » littéraire pour gagner à elle les couches du public que ses nouvelles conditions économiques de développement lui font une obligation d'atteindre. « La politique qui jusque-là avait été l'essence des journaux, la politique, nourriture devenue fort creuse et de moins en moins goûtée, n'était plus un appât suffisant ; elle ne pouvait plus faire vivre longtemps le journalisme dans les conditions nouvelles où il s'était placé. Il chercha donc à côté des lecteurs politiques des lecteurs nouveaux, des lecteurs *littéraires* si l'on peut dire ainsi [1]. » Mais cette récupération de la littérature par le journalisme ne se fait pas au hasard. Elle obéit à certaines lois, à certaines règles. En particulier elle commande une adaptation « formelle » des textes aux demandes de la presse. Les journaux et revues ont en effet besoin d'être alimentés en compositions littéraires de dimension moyenne qui s'adaptent non seulement aux exigences du format, de la mise en pages et de la périodicité, mais encore à la capacité de lecture de leur public. Une forme de production « intermédiaire » doit donc être favorisée chez les écrivains. C'est ce qu'ont compris très tôt certains directeurs de revue. Ainsi Véron, le fondateur de *la Revue des deux mondes* qui, selon E. Hatin, « voulut ouvrir les deux battants d'une grande publicité à tous les jeunes talents encore obscurs comme à tous les écrivains déjà célèbres, et en même temps assurer aussi une certaine rémunération aux compositions littéraires qui demandaient trop de développement pour être réduites aux proportions d'un article de journal, mais qui n'en pouvaient fournir assez pour défrayer un livre [2] ».

C'est précisément de ce genre de « compositions » que Nerval se fera comme malgré lui une spécialité. Beaucoup de ses écrits,

1. *La Vie intellectuelle en France*, p. 613-614.
2. *Ibid.*

conçus expressément pour des journaux ou des revues, ont été orientés dans leur forme, leur dimension, leur contexture, par les conditions mêmes de leur publication. L'oublier serait se priver d'un important élément d'appréciation du *récit* nervalien qui dans ce qu'il a de conforme au souffle « moyen » que favorisent journaux et revues se ressent indiscutablement de la pratique littéraire que nous tentons de décrire. Ce sont d'ailleurs ces conditions de travail qui expliquent aussi que Nerval ait eu tendance à utiliser plusieurs fois les mêmes textes, à les remanier, les modifier, les retailler, les maquiller même, pour en donner des « versions » différentes ; à les extrapoler d'une œuvre déjà existante pour les insérer dans une œuvre nouvelle ou les greffer sur elle, à les exploiter et à en tirer parti de toutes les façons possibles ; il ne peut échapper à un état de choses qui le contraint à les considérer à la fois comme des œuvres littéraires et comme de la *copie,* c'est-à-dire objet de placement, de publication pouvant occuper des colonnes de journaux ou de revues d'une manière relativement indifférenciée. Cela explique et détermine en partie un autre aspect de son œuvre : la récurrence, la reprise inlassable et obsédante de certains thèmes, de certains développements. Naturellement les lois de son écriture, la nature de ses préoccupations profondes l'expliquent aussi, mais il serait imprudent de négliger dans l'examen des structures de son œuvre tout ce qui provient de ce type de soucis et de servitudes, même si cela a pu être finalement dépassé et assumé d'une manière créatrice.

En fait cette dégradation de la production littéraire à l'état de *copie* (dont les conséquences, répétons-le, ne doivent pas être considérées comme nécessairement négatives dans la mesure où une telle altération signifie contrainte efficace, discipline, possibilités d'interactions et de réactions imprévisibles, obligation pour l'œuvre essentielle de se définir malgré tout et à tout prix dans un cadre donné) est attestée dans le cas de Nerval par tant d'aveux, de plaintes, d'inquiétudes qu'il est difficile de la contester. A tout moment d'abord il emploie ce terme de *copie* dans sa correspondance [1]. Mais encore

1. « J'apporte des masses de copie, pour vous et trois ou quatre journaux » (à Delaunay, avril 1841) ; « ... Voilà de la copie due au loisir du bateau à vapeur » (à Hetzel, septembre 1844) ; « Dans tous les cas je vous serais bien obligé de donner cette copie... » (à un rédacteur de revue, novembre 1850).

il est amené à constater ou à reconnaître sans cesse que les textes qu'il écrit sont d'abord chose monnayable, propre à justifier une avance d'argent ou à garantir un emprunt arrêté. « Vous avez encore à moi un article sur les *Derniers Romains,* écrit-il le 3 janvier 1854 à Venet, rédacteur des journaux *l'Eclair* et *Paris,* et je vous dois 30 F. Je comptais vous les envoyer au commencement de ce mois, mais un article sur lequel je comptais et qui doit paraître dans *la Revue de Paris* n'y sera que le mois prochain. C'est ainsi que j'aurai l'argent [1]. » Il ne peut montrer plus clairement qu'article de presse et numéraire sont à ses yeux interchangeables et servent indifféremment à acquitter ses dettes. Il s'engage dans de continuelles et pauvres tractations : « Après cela, écrit-il à Anténor Joly en mars 1852 à propos de textes à paraître dans *le Pays,* il faudrait que le tout passât (3 ou 4 feuilletons) dans un intervalle de deux mois au plus parce que ce travail me sert pour un autre ouvrage qui doit paraître ; c'est ce qui fait que j'aime mieux cela dans un journal que dans les revues. A ce point de vue je me contenterais de trois sous la ligne [2]... » Il a l'obsession des engagements pris — que sa conscience scrupuleuse le conduit à toujours respecter —, des délais à ne pas dépasser pour la remise d'une œuvre : « Je travaille, je fais de jolies choses, nous ferons honneur à nos engagements », écrit-il à Alfred Busquet en mai 1854 au retour de son dernier voyage en Allemagne (et il précise au même à propos d'une somme empruntée : « Cela m'arrangera, et travaillant bien comme je fais depuis trois jours, je les rendrai bien vite... Avec cela je m'achèterai un manteau, chose très nécessaire [3]. » Il insiste sur la régularité, la continuité de son travail, son seul gagne-pain : « Souvenez-vous, écrit-il à Jules Janin le 27 décembre 1851, que je suis un homme qui *travaille* le plus sérieusement possible [4]. » Il n'empêche qu'il est à longueur de mois et de semaines la proie de soucis financiers très rigoureux et que le *quaero money* de son billet à Georges Bell de fin septembre 1853 est le leitmotiv d'une grande partie de sa correspondance. On reste confondu par le

1. Pléiade, t. I, p. 1112.
2. P. 1031.
3. P. 1126
4. P. 1026.

nombre de ses lettres où il est question d'avances, d'emprunts, d'interventions à faire auprès de prêteurs ou de changeurs, d'expédients financiers de toute nature. Il faut bien reconnaître que cela a été le pain quotidien de Nerval et refuser de le voir serait refuser de regarder en face les conditions dans lesquelles a été *produit* son travail littéraire (et qui ont nécessairement influé sur ce travail). Félix Mornand, chroniqueur de *l'Illustration,* dans la notice nécrologique qu'il lui consacra au lendemain de sa mort, disait que les éditeurs le pressaient fréquemment « d'accepter quelque tâche facilement lucrative » et qu'il était toujours « demandant à l'un et à l'autre quelque faible avance sur son idée en cerveau [1] ».

On conçoit que cette manière de vivre et de travailler ait été pour lui la source d'un sentiment permanent d'insécurité. Il y a plusieurs périodes de son existence où il se trouve dans des situations matérielles très difficiles, où son embarras est à la limite de l'angoisse, notamment au cours de ses voyages : par exemple en 1834, à son retour d'Italie, à Marseille d'où il envoie à Duseigneur une lettre affolante de précision et de scrupule dans les recommandations pour lui indiquer les moyens de lui faire parvenir de toute urgence les fonds dont il a un besoin impérieux [2], ou en 1839-1840 lors de son voyage en Autriche et en Allemagne quand, au prix de quelle violence faite à son amour-propre et avec quelles circonlocutions il se résout à demander à son père un peu d'argent [3] (il est d'ailleurs si démuni qu'il écrit à Alphonse Karr à la même époque : « Je viens de traverser à pied le Wurtemberg et le duché de Bade ; je vous prie de n'en rien dire, mais c'est comme cela [4]. »). Si l'on consent à lire certaines de ses lettres, autrement qu'en y cherchant le pittoresque, on y décèle une si constante inquiétude de l'avenir immédiat, une si constante peur de ne plus pouvoir écrire, donc de n'avoir plus de ressources, que l'on conçoit aisément que le sentiment d'insécurité dont nous parlions ait pu prendre les caractères d'une psychose. Il est impossible de ne pas le considérer comme une des composantes essentielles des désordres mentaux dont a souffert Gérard, quelles que soient les explications cliniques que l'on puisse

1. *L'Illustration,* n° 624, 10 février 1855.
2. P. 792.
3. P. 830.
4. P. 864.

en donner par ailleurs. Il est parfaitement significatif que sa première crise de folie ait lieu en février 1841 à une époque où il est accablé de soucis matériels très graves (et surmené parce qu'il voit dans son seul travail une chance de surmonter ces soucis). Malheureusement la conscience qu'il aura de cette folie ne fera qu'accroître la précarité de sa situation, en entrant dans le cycle même de sa psychose et en devenant comme un élément surdéterminant de son insécurité. Un document bouleversant le montre : la lettre qu'il adresse le 24 août 1841 à Jules Janin qui dans un feuilleton des *Débats* avait parlé en termes désinvoltes de son internement chez le docteur Blanche (et qui déjà, le 1er mars, avait fait « l'épitaphe de l'esprit » du poète). « Je suis toujours non moins reconnaissant qu'affecté de passer pour un *fou sublime* grâce à vous, écrit-il, à Théophile, à Lucas, etc., je ne pourrai jamais me présenter nulle part, jamais me marier, jamais me faire écouter sérieusement » (c'est la seule fois qu'il parle de mariage, et l'on peut penser que cette plainte étrange dans sa bouche exprime justement une profonde nostalgie d'équilibre et de sécurité) et il demande à Janin d'insérer dans le journal une réponse dont la conclusion est d'une singulière amertume : « Depuis ce temps, ceux de mes amis qui ne croient pas à ma mort, et il en est qui s'obstinent à ne point me *reconnaître*, continuent à pleurer ma raison perdue, et m'abordent avec des airs de condoléance : ' Quel dommage ! dit-on autour de moi : un jeune homme de tant de style et d'avenir ! Une si belle intelligence anéantie sans retour ! Et il n'a presque rien laissé... Quel malheur ! ' Et c'est en vain que je parle, que je raisonne, que j'écris même ; les gens m'écoutent, me rassurent et me consolent : ' Quel dommage ! répète-t-on encore, la France a perdu un génie qui l'aurait honorée... Ses amis seuls l'ont bien connu ! ' De sorte, mon cher Janin, que je suis le tombeau vivant du Gérard de Nerval que vous avez aimé, produit et encouragé si longtemps. Puisse ma réclamation vous parvenir ! Puissiez-vous regretter de n'avoir instruit le monde de ma gloire que pour lui apprendre qu'elle s'est éteinte avant même d'avoir brillé. » Il termine en disant son espoir de pouvoir renoncer désormais « au triste métier d'écrivain [1] ». Cette lettre jette un jour très vif sur l'amertume qu'il res-

1. P. 907-909.

sentait à être diminué aux yeux du public par sa maladie et elle montre que celle-ci, loin de lui être une auréole ou un apanage romantique, a été vécue par lui comme un *doute,* une menace, une angoisse, une lutte épuisante [1]. Il l'a constamment associée aux difficultés de sa situation matérielle et l'a expliquée à plusieurs reprises par le surmenage, par l'excès de travail [2]. Dans les derniers mois de sa vie les épreuves que lui impose la folie (lorsqu'il a quitté la maison du docteur Blanche en dépit des réticences et des inquiétudes fort significatives du praticien) et celles que lui impose la misère (c'est l'époque où il se promène dans le Paris glacé de l'hiver 1854-1855 sans manteau, vêtu d'un léger habit noir, affirmant que le froid est tonique et que les Lapons ne sont jamais malades) tendent à se confondre et à former un complexe de préoccupations indissociables au point qu'il est difficile de dire s'il meurt des unes ou des autres. Il ne peut lutter contre la misère que par son travail d'écrivain, mais la maladie en rendant ce travail impossible ou difficile lui ôte toute chance de survivre. Certains propos tenus par lui à la veille de sa mort ne laissent aucun doute à ce sujet. Il aurait dit à Louis Legrand le 24 janvier 1855 : « Je suis désolé. Me voilà aventuré dans une idée où je me perds. Je passe des heures entières à me retrouver. Je n'en finirai jamais... Croyez-vous que je puisse écrire à peine deux lignes par jour tant les ténèbres m'envahissent ? » et à Asselineau le 25 au matin : « Je ne sais ce qui va m'arriver, mais je suis inquiet. Depuis plusieurs jours je ne puis littéralement plus écrire une ligne. Je crains de ne plus pouvoir rien produire... Je veux encore une fois essayer aujourd'hui [3]. » C'est bien parce qu'il ne pouvait plus écrire, c'est-à-dire exercer la seule activité qui lui permettait de *vivre,* qu'il est mort. Une note d'E. Montagne dans

1. C'est ce qu'exprimait admirablement Albert Béguin en disant que le drame de Nerval était de voir sa folie face à face. Il ne faut pas se laisser prendre à la façon volontairement légère ou ironique dont il parle parfois de son mal : en fait dans une lettre à son père du 25 décembre 1842 il n'hésite pas à écrire « ma terrible maladie ».

2. « J'ai souffert d'une maladie nerveuse dont la convalescence a été longue et qui a commencé à la suite d'un excès de travail... » (à Liszt, printemps 1853) ; « ... une congestion cérébrale résultat d'un excès de travail » (au Dr Blanche, 25 novembre 1853) ; « une sorte d'exaltation due à mes travaux » (à Gautié [d'Agen], 27 novembre 1853).

3. Témoignages cités par Aristide Marie, *Gérard de Nerval*, éd. Hachette, p. 346.

son *Histoire de la Société des gens de lettres* indique que les frais de son inhumation furent couverts par la rémunération « de quelques articles de Gérard de Nerval insérés dans *l'Artiste*[1] » (en réalité probablement les droits qui lui étaient dus pour la publication dans la *Revue de Paris* de la deuxième partie d'*Aurélia*). Ainsi son travail littéraire servit-il à payer jusqu'à son enterrement. « La société avait abusé de moi, tout autant sans doute que j'avais abusé d'elle », écrivait-il à Francis Wey le 18 juin 1854.

III. JOURNALISTE OU ÉCRIVAIN ?

Ces conditions de travail, imposées à Nerval par un système qui oblige tout écrivain non privilégié par la fortune à gagner d'abord sa vie en fournissant régulièrement les journaux et revues en copie, n'ont-elles pas profondément altéré, dénaturé son œuvre — ce qui aurait pu être son œuvre dans des conditions différentes ? Au dos d'un billet que lui adressait en 1854 Armand Baschet, il a griffonné ces mots : « *Il faut avoir des rentes... et du temps*[2]. » Pour être un véritable écrivain, sous-entendait-il sans doute. Or, véritable écrivain, l'a-t-il été à ses propres yeux ? « Nous aurions pu être des Grecs du temps de Périclès ou de bons barons allemands du XVIe siècle et nous sommes de misérables gratteurs de papier... », lui écrivait Théophile Gautier en décembre 1839[3]. Il ne s'est jamais senti en fait simple gratteur de papier, mais il ne se fait pas de grandes illusions sur sa position littéraire. Il parle de sa *végétation,* d'où il voudrait bien sortir[4]. Il se rend compte de la médiocrité de la situation qui lui est faite en France ; ne manquant jamais de noter lors de ses voyages combien les hommes de lettres sont mieux traités et considérés à l'étranger : « Il est remarquable que les gens de lettres français sont particulièrement bien accueillis à l'étranger ; à Paris, la supériorité de fortune ou de position nous domine toujours et

1. Pléiade, t. I, p. 1520.
2. T. I, p. 1507.
3. T. I, p. 840.
4. Lettre à son père du 1er janvier 1843, p. 917.

rend le grand nombre peu attrayant [1]. » Il se considère volontiers comme un « voyageur feuilletoniste [2] », c'est-à-dire un homme qui voyage pour écrire — pour trouver des sujets de feuilletons — et qui écrit pour voyager (et cela a bien été son lot pendant la majeure partie de son existence, tant du fait de son humeur vagabonde que d'une espèce de nécessité dans laquelle il s'enfermait).

Aussi est-on en droit de se demander si de son vivant Nerval n'a pas été plus journaliste qu'écrivain. « ... Je me suis trop compromis avec *la Presse,* écrit-il à Emile de Girardin le 22 avril 1852, moi qui y ai semé environ cent cinquante articles, pour ne pas préférer ce journal aux autres [3]... » Chiffre éloquent, qui le deviendrait plus encore si on le gonflait du nombre des articles et textes que Nerval a publiés ailleurs : dans *l'Artiste, la Charte de 1830, le Figaro, l'Illustration, le Messager, le Mercure, le National, la Revue des deux mondes, la Revue de Paris, le Temps,* etc. On compte en tout plus de soixante périodiques auxquels il a apporté sa collaboration. Rien ne lui est aussi familier que le monde des salles de rédaction, il connaît tous les secrets de la fabrication des journaux, et des hommes comme Alphonse Karr, Jules Janin, Girardin, Véron, N. Roqueplan constituent souvent son vrai « compagnonnage » professionnel : sa série d'articles sur les *Journalistes parisiens* que nous avons retrouvée dans l'*Allgemeine Theaterzeitung* de Vienne — où il l'avait donnée lors de son séjour de 1840 dans la capitale autrichienne — témoigne assez de ce que fut son commerce permanent avec les milieux de la presse [4].

Un autre aspect de cette activité « para-littéraire » est sa fréquentation des théâtres. Quand il fait recevoir ou représenter des pièces, il s'agit généralement — exception faite pour quelques œuvres d'importance comme son drame *Léo Burckart* — d'adaptations, d'ouvrages en collaboration ou exécutés à la commande dont il escompte un succès rapide et rémunérateur (et c'est bien pour cela qu'en 1852 l'échec de son *Imagier de Harlem* à la porte Saint-

1. Au même, 17 novembre 1840, p. 879.
2. *Ibid.*
3. P. 1032.
4. Cf. *Revue d'histoire littéraire de la France* de janvier-mars 1954, et le volume *la Vie des lettres,* in *Œuvres complémentaires de Nerval* (M.-J. Minard, éd.).

Martin lui cause une si vive déception) : entreprises à grand spectacle, à la limite de l'opéra-comique, où l'auteur s'éprouve moins comme écrivain que comme librettiste, scénariste, habile « faiseur ». Quand il va voir les pièces des autres, c'est avec l'esprit d'un chroniqueur de presse, d'un feuilletoniste dramatique au goût sûr mais installé dans l'habitude : entre 1835 et 1840 d'une part, 1844 et 1851 d'autre part, il donne près de cent cinquante comptes rendus de spectacles présentés aux Variétés, à l'Opéra-Comique, à la Renaissance, à l'Odéon, à la Comédie-Française [1]. Une bonne part de sa correspondance contient des billets où il fait valoir ses droits de critique auprès des directeurs de théâtre, réclame des places pour une représentation, des stalles pour lui ou ses amis. Sans parler de ses préoccupations les plus personnelles qui, à l'époque du *Monde dramatique* et de son amour pour Jenny Colon, l'amènent à fréquenter le monde des acteurs et des actrices. Il y a dans tout cela une activité fébrile et brouillonne qui tient une immense place dans sa vie et qui, là encore, est le reflet d'une position littéraire très « contingente ». On conçoit que dans ces conditions Nerval se soit senti plus souvent *littérateur* comme on disait alors, qu'écrivain indépendant et maître de son œuvre. Il appartient à une communauté, il le sait, il le répète, il le revendique (« Il est des nôtres et des meilleurs », écrit-il en juin 1845 à Alphonse Karr à propos d'un ami qu'il recommande [2]) : mais ce ne peut être que celle des *hommes de lettres*. A cet égard sa candidature à la *Société des gens de lettres*, qu'il fait appuyer en avril 1838 par Victor Hugo [3], s'inscrit dans la parfaite logique de son statut littéraire « extérieur ».

Mais l'autre ? Son statut littéraire secret, intime et authentique ? Il semble en avoir pris conscience aussi, mais dans le doute et la contradiction. Un témoignage est particulièrement révélateur à cet égard : c'est la correspondance qu'il a entretenue tout au long de sa vie avec son père. Elle constitue un document exceptionnel. On y voit Gérard se débattre, du sortir de l'adolescence à la veille de sa mort, contre l'incompréhension d'un homme dont *l'approbation* lui semble absolument nécessaire et de qui il ne peut obtenir que

1. Ces articles ont été rassemblés en volume par Jean Richer en 1961, dans le tome *la Vie du théâtre,* in *Œuvres complémentaires de Nerval.*
2. P. 958.
3. P. 809.

sévérité, scepticisme et sarcasme. Incrédulité surtout, car ce que Nerval attend de son père, c'est une *foi* en son œuvre, en son avenir et en son destin littéraire. Et c'est précisément cet acte de foi seul qui pourrait le faire accéder à un autre plan d'activité littéraire que celui où il se trouve maintenu par les nécessités que nous avons décrites. Il le sollicite en vain toute sa vie. Le docteur Etienne Labrunie n'était pas un homme plus dur qu'un autre. On reste tout de même épouvanté de sa défiance à l'égard de son fils, de son manque de générosité, de son avarice, de sa prudence. Il aurait voulu que Gérard soit médecin (« J'ignore jusqu'à quel point mon peu de goût pour la profession de docteur a pu me placer mal dans ton esprit, mais je crois le mal — si c'en est un — irréparable désormais, et nous avons dit bien des fois là-dessus des paroles qui semblaient devoir être les dernières [1] »), ce qui signifiait à ses yeux une position stable et sûre dans l'existence. A défaut de cette position, il n'accepte la carrière littéraire que dans la mesure où il peut la juger sur des résultats, c'est-à-dire si elle se révèle rentable et propre à assurer la notoriété, une assise sociale. Gérard s'épuisera à le convaincre qu'elle peut satisfaire cette double exigence. Il le fera avec une patience et une humilité incroyables d'où l'affection vraie et inconditionnelle, la dévotion filiale ne sont jamais absentes (« Tu es mon seul parent et presque mon seul ami véritable », écrit-il en août 1843 [2]), mais en donnant constamment l'impression de se *justifier* à ses propres yeux. A cet égard la lettre de Vienne du 26 novembre 1839, dont nous parlions plus haut, laisse rêveur : les trésors de précautions qu'emploie Gérard pour exposer ses difficultés financières et ses besoins montrent qu'il ne peut perdre la face devant son père sans que sa situation littéraire soit irrémédiablement *contestée*. Il écrit : « Les jeunes gens qu'une malheureuse ou *heureuse* vocation pousse dans les arts ont, en vérité, beaucoup plus de peine que les autres, par l'éternelle méfiance qu'on a d'eux [3]. » Mais il explique qu'il a eu raison de choisir cette voie. Il dit que sa situation est très décente et qu'il vit correctement, il parle de la « considération » dont il jouit à Paris et surtout à

1. Lettre du 5 mars 1841, Pléiade, t. I, p. 890.
2. P. 935.
3. P. 830.

l'étranger, de sa « réputation », de sa « renommée », de son « avenir ». Le 31 mai 1854, huit mois avant sa mort, il a ce mot dérisoire : « Ma situation est bonne, quoique toute dans l'avenir. »

Il ne croyait pas si bien dire. Cette perpétuelle projection de sa réussite dans l'avenir est révélatrice de sa condition littéraire. *Hic et nunc* il est asservi à des tâches qui le limitent. Dans l'avenir, il est autre chose, il est lui-même, il est l'écrivain qu'il sait être réellement. Il a fort bien résumé cela en écrivant, toujours à son père : « Le travail littéraire se compose de deux choses : cette besogne des journaux qui fait vivre fort bien et qui donne une position fixe à tous ceux qui la suivent assidûment, mais qui ne conduit malheureusement ni plus haut ni plus loin. Puis le travail des livres, du théâtre, l'étude de la poétique, choses lentes, difficiles, qui ont toujours besoin de travaux préliminaires fort longs et de certaines époques de recueillement et de travail sans fruit ; mais aussi là est l'avenir, l'agrandissement [1]... » L'opposition qui est faite ici entre deux catégories de littérature nous ramène à la *dissociation* fondamentale que nous évoquions plus haut. Elle conduit Nerval à séparer son activité littéraire pratique de son activité littéraire essentielle et en même temps à dépasser cette contradiction qui ne peut se concilier avec la profonde *unité* de sa vocation créatrice. Il éprouve vivement ce malaise qui l'empêche de faire vraiment une œuvre dans les conditions qu'il souhaiterait (« j'irai causer de tout cela avec vous, écrit-il à Buloz le 31 octobre 1851, en regrettant toujours que la situation littéraire actuelle ne nous permette pas de nous consacrer à un seul recueil » et rien ne peut être plus significatif), mais il le surmonte en distinguant la *vie poétique* de la *vie réelle* : « On ne peut empêcher les gens de parler, et c'est ainsi que s'écrit l'histoire, ce qui prouve que j'ai bien fait de mettre à part ma vie poétique et ma vie réelle [2]. » Cette dualité, on le sait, éclaire sa destinée mais elle définit aussi au départ l'originalité de son œuvre. Il arrive que la « vie poétique » s'exprime, indépendante et « concentrée », hors des limites de la vie réelle : par exemple dans les sonnets des *Chimères*. Il arrive le plus souvent qu'elle s'insère à tout prix, entre par effraction dans les cadres de la vie réelle : c'est ce qui se pro-

1. P. 833.
2. P. 1022.

duit dans le *récit* nervalien dont les dimensions et les apparences reflètent les contingences historiques auxquelles Nerval était soumis dans son métier d'écrivain, mais dont les formes et les structures expriment l'autre part — la plus riche —, la plus authentique de sa personnalité et de son travail littéraire.

IV. NERVAL ET LA « LITTÉRATURE ».

Cette double situation se retrouve dans la culture de Nerval. Elle est exceptionnellement riche et variée. Gérard est le contraire d'un génie à l'état sauvage. Ses lectures sont étendues, sa curiosité est universelle. Il est pourtant évident que cette culture de Nerval n'est pas homogène. Elle présente constamment deux versants, où se reflète l'ambiguïté de sa condition littéraire, telle que nous avons tenté de la décrire. Le premier est un versant « réaliste », le second un versant romantique et ésotérique. Dans les deux cas la culture nervalienne se révèle extraordinairement sélective. Elle prend son bien où elle le trouve, mais elle le trouve toujours dans une perspective bien définie, correspondant à une recherche patiente et obstinée, à une évidente continuité de pensée et de sensibilité, et, finalement, à une réflexion très cohérente sur la littérature.

C'est cette réflexion sur la littérature que nous voudrions tenter d'analyser. Elle est le lieu de rencontre de l'héritage culturel de Nerval et de son travail créateur. Elle n'est pas assez close pour s'exprimer en un système, mais elle est assez précise pour fonder une véritable « poétique » appuyée sur l'expérience, le contact direct avec les œuvres et la connaissance concrète, « pratique », des problèmes que pose la production littéraire. On n'a jamais, d'ailleurs, suffisamment mis en évidence l'importance de ces idées que Gérard nous propose au fil de ses écrits, chaque fois qu'il a l'occasion de réfléchir sur le fait littéraire. Or, elles éclairent singulièrement son œuvre. Nous pourrions tenter de les regrouper et de les ordonner sous trois rubriques :

1. *L'écriture et la vie.*

Une des idées auxquelles Nerval semble le plus attaché et qui revient de la manière la plus insistante dans son œuvre est qu'il est impossible de séparer l'acte d'écrire de la vie. Pour lui l'œuvre littéraire naît d'une *expérience* qui est le bien commun de tous les hommes. « L'expérience de chacun est le trésor de tous [1] », écrit-il dans ses *Promenades et Souvenirs.* Et il précise à propos des épisodes de son enfance qu'il se prépare à évoquer : « C'est, dira-t-on, l'histoire de tout le monde. Mais tout le monde n'a pas l'occasion de raconter son histoire. » L'écrivain est en effet celui qui *raconte* son histoire et, ce faisant, il raconte celle de tous les hommes. « La vie d'un poète est celle de tous » dit encore Gérard au début de ses *Petits Châteaux de Bohême* et la théorie des *trois âges du poète* qu'il expose à Arsène Houssaye montre bien, sous le voile de l'humour, de quelle étroite façon il associe les progrès de la conscience littéraire au déroulement même des étapes de l'existence.

A propos des premières œuvres de Restif de la Bretonne il note dans *les Illuminés* : « L'intérêt des mémoires, des confessions, des autobiographies, des voyages même, tient à ce que la vie de chaque homme devient ainsi un miroir où chacun peut s'étudier, dans une partie du moins de ses qualités ou de ses défauts [2]. » Il s'arrête sur les exemples de Sterne et de Rousseau pour montrer que la *personnalité* (c'est-à-dire la peinture par un écrivain de sa propre personnalité) n'a rien de choquant à condition qu'elle soit tempérée par *l'ironie* : une distance critique que l'auteur prend par rapport à son œuvre et qui lui permet de l'universaliser, de s'adresser aux autres dans l'instant où il parle de lui-même. « Chez le bon Laurent Sterne, cela devient une sorte de confidence bienveillante et presque ironique, qui semble dire au lecteur : ' Vaux-tu mieux que moi ? ' » Il conclut, revenant à Restif, sur la nécessité de ne pas séparer l'écrivain de l'homme. « Ce que l'on connaît de l'homme nous aidera

1. T. I, p. 133.
2. T. II, p. 1104.

d'ailleurs à mieux apprécier les procédés du conteur [1]. » Il est difficile de trouver dans son œuvre une phrase qui s'applique aussi bien à son propre cas et marque les liens précis qui unissent sa personnalité, son expérience humaine, sa vision des choses et des êtres, à son écriture, à son sens du récit. Mais l'analogie devient encore plus saisissante, lorsque Gérard se préoccupant du contenu des écrits de Restif croit pouvoir noter : « On s'assurera sans peine que tous les romans de Restif ne sont, avec quelques modifications et les noms changés, que des versions diverses des aventures de sa vie. » Et plus loin : « Avec une franchise que n'ont pas tous les écrivains, il avoue qu'il n'a jamais pu imaginer, que ses romans n'ont jamais été, selon lui, que la mise en œuvre d'événements qui lui étaient arrivés personnellement, ou qu'il avait entendu raconter : c'est ce qu'il appelait *la base* de son récit [2]. » Cette phrase nous livre une confidence transparente : si Gérard apprécie tellement Restif sur ce point, c'est parce qu'il se retrouve assez exactement en lui.

De façon générale Nerval a le respect « romantique » de tout ce qui, de la vie, intervient sur l'œuvre. Il loue Bürger d'avoir su rompre avec le didactisme, avec l'imitation grecque ou latine, pour oser « chanter ses propres sentiments, ses impressions, sa vie, ses amours [3] ». Il admire que Gœthe ayant oublié certains épisodes de son existence ait su les conserver « à l'état d'éléments poétiques [4] ».

Mais il n'ignore pas que ces échanges entre la littérature et la vie ne sont pas à sens unique. Dans son étude sur Cazotte il parle du « plus terrible danger de la vie littéraire, celui de prendre au sérieux ses propres inventions [5] ». Et il ajoute : « Ce fut, il est vrai, le malheur et la gloire des plus grands auteurs de cette époque ; ils écrivaient avec leur sang, avec leurs larmes ; ils trahissaient sans pitié, au profit d'un public vulgaire, les mystères de leur esprit et de leur cœur ; ils jouaient leur rôle au sérieux, comme ces comédiens antiques qui tachaient la scène d'un sang véritable pour les plaisirs du peuple-roi. » Il évoque avec un trouble mal contenu « le

1. T. II, p. 1104.
2. T. II, p. 1106.
3. Notice sur « les poètes allemands » (1840), in *Œuvres complémentaires I*, p. 56.
4. *Ibid.*, p. 65.
5. T. II, p. 1149.

poète qui croit à sa fable, le narrateur qui croit à sa légende, l'inventeur qui prend au sérieux le rêve éclos de sa pensée [1] » et s'étonne que ce type de personnage ait pu apparaître en plein XVIIIe siècle.

Ce sens aigu que Nerval a toujours eu des *limites* de la littérature, des responsabilités de l'écrivain en face du « possible » est révélateur. Le récit ne sera pas simplement à ses yeux une œuvre où l'on *raconte* pour libérer sa mémoire, mais aussi une œuvre où l'on « recompose » le réel, dans une opération dont les conséquences peuvent être imprévisibles. Aussi son attitude en face de la réalité considérée comme la « base référentielle » du travail littéraire est-elle complexe. Sur ce point encore il a beaucoup réfléchi.

2. *Les contradictions du réalisme.*

Le problème du réalisme est posé de la manière la plus ouverte dans l'œuvre de Nerval. *Les Nuits d'octobre* se présentent en particulier à la fois comme une illustration et une critique du réalisme tel que le défendaient Champfleury et l'*école du vrai* après 1850. Dès les premières pages Gérard dit son admiration pour les Anglais, et notamment Dickens auquel il se réfère — qui ont la chance « de pouvoir écrire et lire des chapitres d'observation dénués de tout alliage d'invention romanesque [2] ». Il leur oppose les écrivains parisiens à qui on demanderait « que cela fût semé d'anecdotes et d'histoires sentimentales — se terminant soit par une mort, soit par un mariage ». « L'intelligence réaliste de nos voisins, dit-il, se contente du vrai absolu. » Mais on se tromperait sur la nature du vrai absolu dont il se fait le défenseur si l'on ne lisait de près les lignes où il expose la suite de sa pensée et qui valent la peine d'être citées :

« En effet le roman rendra-t-il jamais l'effet des combinaisons bizarres de la vie ? Vous inventez l'homme, ne sachant pas l'observer. Quels sont les romans préférables aux histoires comiques ou tragiques d'un journal de tribunaux ?

« Cicéron critiquait un orateur prolixe qui, ayant à dire que son client s'était embarqué, s'exprimait ainsi : ' Il se lève, il s'habille,

1. T. II, p. 1140.
2. T. I, p. 79-80.

— il ouvre sa porte, — il met le pied hors du seuil, — il suit à droite la voie Flaminia, — pour gagner la place des Thermes, etc.'

« On se demande si ce voyageur arrivera jamais au port, mais déjà il vous intéresse, et loin de trouver l'avocat prolixe, j'aurais exigé le portrait du client, la description de sa maison et la physionomie des rues ; j'aurais voulu connaître même l'heure du jour et le temps qu'il faisait. Mais Cicéron était l'orateur de convention et l'autre n'était pas assez l'orateur vrai. »

Curieux texte. La critique que fait Cicéron, selon Nerval, de l'orateur prolixe est à peu de choses près celle que fait Valéry du romancier lorsqu'il affirme son peu d'empressement à écrire : « La Marquise sortit à cinq heures... » Or Gérard refuse cette objection, précisément au nom du réalisme. Ce n'est point la concision qu'il réclame. C'est la *description* précise de tout ce qui doit entrer dans le récit. Autrement dit, il ne souscrit nullement au refus valéryen des formes romanesques. Il pense que le réalisme descriptif peut et doit libérer ces formes de la *convention* (c'est effectivement le mot qu'il prononce). On ne pourra qu'être frappé de l'aspect moderne de sa réflexion. Gérard pense que pour rendre à l'écriture narrative une authentique force productrice, une qualité que l'on pourrait dire au sens propre *poétique*, l'écrivain doit d'abord regarder, observer (« vous inventez l'homme, ne sachant pas l'observer ») et que la tentation à laquelle il doit céder le moins est celle de l'anecdote (« A Paris, on nous demanderait que cela fût semé d'anecdotes »). L'idée qu'il se fait du réalisme s'ouvre donc sur une conception assez « nouvelle » des fonctions de la littérature. Nous sommes à la fois très près et très loin de Champfleury. La suite des *Nuits d'octobre* l'indique clairement.

En effet Gérard, s'il affirme quelques pages plus loin — non sans quelque humour — sa volonté de « daguerréotyper la vérité » de certaine scène qu'il entend décrire, s'avoue très vite découragé par ce genre d'entreprise. « Je m'arrête — le métier de *réaliste* est trop dur à faire », dit-il. Et brusquement, après avoir rappelé qu'après 1830 aussi bien qu'après 1794 ou 1796 « les esprits fatigués des conventions politiques ou romanesques, voulaient du vrai à tout prix », il déclare : « *Or le vrai, c'est le faux, du moins en art et en poésie* [1]. »

1. P. 109.

Un critique fictif à qui il donne la parole affirme de la manière la plus péremptoire que ce *faux* (c'est-à-dire la *fiction*) qu'exige l'art (et dont *l'Iliade, l'Enéide,* les tragédies, les romans donnent à profusion l'exemple) ne saurait s'accommoder d'une analyse scrupuleuse et tatillonne de « rêves », d' « impressions », de « sensations ». Mais on sent que Gérard en doute. La conclusion qu'il propose — en citant un mot d'un certain M. de Fongeray — est révélatrice des contradictions qu'il s'efforce de surmonter : « *Le vrai est ce qu'il peut.* »

Mais le rêve qui le visite un peu plus loin et dont il nous présente un ironique compte rendu montre à quel point il est convaincu de la puissance créatrice, provocatrice, dévastatrice même du réalisme tel qu'il le conçoit. Trois spectres lui apparaissent et lui lancent ces mots méprisants : « *Fantaisiste ! Réaliste ! ! Essayiste ! ! !* » Et voici l'accusation qu'ils prononcent : « Du *réalisme* au crime, il n'y a qu'un pas ; car le crime est essentiellement réaliste. Le fantaisisme conduit tout droit à l'adoration des monstres. L'essayisme amène ce faux esprit à pourrir sur la paille humide des cachots. On commence par visiter Paul Niquet, on en vient à adorer une femme à cornes et à chevelure de mérinos, on finit par se faire arrêter à Crespy pour cause de vagabondage et de troubadourisme exagéré [1]. » Ce texte est saisissant parce qu'il met en lumière avec une verve étonnante les relations imprévisibles mais fatales qui existent entre le réalisme et la production du *fictif*. Comment appeler cette *réalité* qui conduit au fantasme, à « l'adoration des monstres », à la prison, à l'exaltation d'une « femme à cornes et à chevelure de mérinos », à « un troubadourisme exagéré » : *surréalité* (ou *sur-naturalisme* ? ou simplement *fiction* ?) ? On voit que le réalisme de Nerval n'est pas sommaire. A propos de Restif de la Bretonne il affirme d'ailleurs — et le mot mérite d'être souligné — que le comble du *réalisme* est l'attitude qui consiste à inventer, combiner, provoquer certaines situations vraies dans notre existence (comme faisait

1. P. 116. L'ironie lucide de ce commentaire est renforcée par la résolution que Gérard feint d'adopter quelques lignes plus loin pour conjurer les spectres du réalisme — de ne plus écrire que des œuvres innocentes : « ... je ferai des romans vertueux et champêtres, je viserai aux prix de poésie, de morale, je ferai des livres contre l'esclavage et pour les enfants, des poèmes didactiques... des tragédies ! »

Restif, toujours prêt, lorsqu'il était en mal d'imagination, à se lancer dans une aventure amoureuse à seule fin de la raconter) pour pouvoir les décrire : l'imaginaire projeté délibérément, par l'écriture sur le réel [1].

3. *La forme et le langage.*

Le dernier point sur lequel il faut insister est tout simplement l'extrême attention que Gérard porte aux questions de *forme* en littérature. Il affirme dans son importante préface de 1840 à la traduction de *Faust suivi du Second Faust* : « L'art a toujours besoin d'une forme absolue et précise, au-delà de laquelle tout est trouble et confusion [2]. » Il croit justement discerner dans *Faust* cette « forme pure et belle » dont la pensée critique, dit-il, « peut suivre tous les contours ». Cela indique suffisamment qu'il n'entend pas par forme la perfection du style, mais « l'inscription » même de l'œuvre, l'adéquation rigoureuse de l'écriture au « projet » de l'écrivain. Ce qu'il loue chez Gœthe, il le loue aussi chez Heine : « Chez lui, écrit-il, l'idée et la forme s'identifient complètement [3]. » Il est d'ailleurs un texte où sa pensée se révèle d'une manière encore plus claire et plus forte, parce que sous un jour plus inattendu ; c'est un passage de l'article demeuré longtemps oublié et méconnu où il rend compte de l'ouvrage *les Français peints par eux-mêmes* [4] ; il y écrit à propos de Balzac : « Nous vous parlions de l'Epicier : M. de Balzac a passé par là, il a vu cette espèce sur sa porte, il l'a pétrie comme une terre glaise, il en a pris la mesure, il en a pris l'empreinte et voilà l'épicier figé et coulé en bronze qui peut passer à la postérité la plus reculée avec ses bagages et son comptoir, comme une boutique d'Herculanum. L'épicier est ainsi et ne saurait être autrement. » Ces lignes sont frappantes parce qu'elles montrent que Gérard ne réserve pas l'idée de *forme* à une œuvre limitée de propos et de proportion, mais l'étend à toute réalité littéraire qui ne peut *être* (se constituer) que dans et par le langage.

1. Pléiade, t. II, p. 1107.
2. *Œuvres complémentaires I*, p. 12.
3. *Ibid.*, p. 79. Article sur Henri Heine publié dans *la Revue des deux mondes* du 15 juillet 1848.
4. *Ibid.*, p. 163. Article publié dans *le Siècle* du 2 septembre 1839.

Cette attitude a évidemment des racines « classiques ». « Classique », Nerval l'est par toute sa culture. Ce *bouzingo*, ce Jeune-France s'est d'abord formé aux maîtres du passé. Dans une note de ses brouillons manuscrits que conserve la collection de Lovenjoul, il écrit : « J'appartiens en littérature comme en pays à la tradition française [1]. » Au début de son étude sur Cazotte, dans *les Illuminés*, il parle de l'esprit net et sensé du lecteur français « qu'il convient de respecter [2] ». Même dans ce qu'elle a de plus original et de plus neuf, sa culture repose sur le goût des traditions, du contact direct avec la réalité vive du langage. On sait qu'il y a chez lui un sens très aigu des formes populaires de la littérature. Or quand il affirme : « La langue du berger, du marinier, du charretier qui passe, est bien la nôtre, à quelques élisions près, avec des tournures douteuses, des mots hasardés et des liaisons de fantaisie, mais elle porte un cachet d'ignorance qui révolte l'homme du monde, bien plus que ne fait le patois. Pourtant ce langage a ses règles, ou du moins ses habitudes [3]... », c'est encore une position classique qu'il adopte par son souci de ne pas séparer la langue de la littérature de celle de la vie et d'enrichir l'une par l'autre. L'attachement qu'il manifeste aux idées exprimées par Du Bellay dans la *Défense et Illustration* le montre bien [4]. On retrouve d'ailleurs ce sens de l'héritage classique dans la façon même dont il s'approprie l'inspiration romantique. Les vrais maîtres qui lui ont appris à ne pas séparer ses sentiments, ses pensées et ses émotions d'une *forme,* sont des hommes du XVIIIe siècle. Il le dit lui-même : « J'ai appris le style en écrivant des lettres de tendresse ou d'amitié, et quand je relis celles qui ont été conservées, j'y retrouve fortement tracée l'empreinte de mes lectures d'alors, surtout de Diderot, de Rousseau et de Sénancour [5]. »

Il est clair que Nerval écrira toujours avec un souci très conscient de porter le langage au degré de rigueur et de simplicité qui lui permettra de l'ajuster exactement à ce projet « réaliste » d'une nature si particulière qui est le sien. Dire les choses de la vie (et de

1. Collection Spoelberch de Lovenjoul, D. 741, f° 122.
2. Pléiade, t. II, p. 1141.
3. *Chansons et Légendes du Valois,* Pléiade, t. I, p. 274.
4. Dans sa dissertation sur « Les poètes du XVIe siècle », in *Œuvres complémentaires I,* p. 290.
5. *Promenades et Souvenirs,* Pléiade, t. I, p. 133.

l'obscur) selon un ordre de vérité qui exclut toute confusion, c'est précisément cela, leur donner *forme.*

On voit donc que trois sortes d'influence se sont en définitive exercées sur Nerval, allant toutes dans le même sens : une influence de type « romantique » le conduisant à lier la pratique de l'écriture à celle de la vie, une influence venue de l'*école du vrai,* lui imposant de mesurer à la fois les « chances » et les limites du réalisme et l'obligeant par là même à prendre conscience de la place et du sens de la *fiction* dans le fait littéraire, une influence d'orientation « classique » enfin, l'amenant à réfléchir avec précision sur la nature « formelle » du travail de l'écrivain. C'est ce triple système de références qui, s'ajoutant aux impératifs matériels et aux données économiques que nous avons analysés, permet de définir la relation de Nerval à la *littérature,* telle qu'il l'a vécue et l'a « pratiquée » de la manière la plus concrète, telle qu'il n'a cessé aussi de la dépasser, le propre d'une production littéraire vivante et active étant de s'affirmer en même temps *à partir de* et *contre* ce qui la conditionne.

Lautréamont

Nous proposons ici une double approche des *Chants de Maldoror*. C'est une aventure périlleuse à tenter. On sait que pendant longtemps il ne fallut pas toucher à Lautréamont. André Breton et ses amis, en réplique à une réédition, à leurs yeux condamnable, des *Chants* par Philippe Soupault, proclamaient : « Nous nous opposons, nous continuons à nous opposer à ce que Lautréamont entre dans le domaine de l'histoire, à ce qu'on lui assigne sa place entre Un Tel et Un Tel [1]. » Aragon, dans le numéro 2 du *Surréalisme au service de la révolution,* proposait une « Contribution à l'avortement des études maldororiennes ». Ceux-là mêmes qui exaltaient frénétiquement l'œuvre d'Isidore Ducasse entendaient que la critique n'en approchât pas.

Les temps ont changé. Et le discours *critique* a pris largement en charge les écrits de Lautréamont. Depuis quelques années surtout. Ils semblent même être devenus un des lieux d'analyse privilégiés de toute une problématique moderne de l'écriture. C'est qu'ils se sont révélés à nous pour ce qu'ils sont vraiment : d'abord un *texte,* et un langage, ce que le Surréalisme avait contribué à masquer. Aragon, essayant récemment de retrouver le choc qu'il en recevait dans les années 20, l'a vu et dit : « Les *Chants* ni les *Poésies* ne pouvaient encore s'envisager comme un langage. Mais bien plus comme un cri des entrailles [2]. » Ce qui accorde désormais les œuvres de Lautréamont à l' « interrogation » littéraire de notre temps, c'est d'abord que, devant la notion de *texte*, s'y abolit

1. « Lautréamont envers et contre tout », in Maurice Nadeau, *Histoire du surréalisme,* éd. du Seuil, p. 243.
2. Aragon, « Lautréamont et nous », in *les Lettres françaises,* n° 1186, 1er juin 1967.

justement l'idée même de distinction des genres sur laquelle s'est édifiée une longue tradition de la littérature. *Les Chants de Maldoror* sont-ils roman, récit, poème ? La question sera posée ici. Mais elle n'est pas neuve et, d'une certaine façon, elle est sans objet. Car la vertu essentielle de ce livre n'est pas de remplir une « forme » littéraire déterminée, mais au contraire d'être le terrain originel d'où toutes les formes peuvent naître et s'accomplir. André Breton a trouvé une expression inégalable pour dire cela. Il a écrit que le langage de Lautréamont était « un *plasma germinatif* sans équivalent [1] ». Or il est bien vrai que la prose des *Chants* est la plus « nourricière » qui se puisse imaginer, dans la mesure où elle offre à toutes les aventures de la littérature une occasion, une chance de se réaliser. Aussi bien le dessein avoué de l'auteur « de peindre les délices de la cruauté » en cache-t-il un autre, qui est tout simplement celui d'éprouver l'« écriture », de l'*essayer* dans le sens le plus strict du terme, et jusqu'à la limite de ses ressources. Il le dit assez clairement, au début du deuxième chant, effrayé de la crampe qui vient de paralyser sa main : « Cependant, j'ai besoin d'écrire... C'est impossible ! Eh bien, je répète que j'ai besoin d'écrire ma pensée : j'ai le droit, comme un autre, de me soumettre à cette loi naturelle... Mais non, mais non, la plume reste inerte ! Tenez, voyez, à travers les campagnes, l'éclair qui brille au loin. L'orage parcourt l'espace. Il pleut... Il pleut toujours... Comme il pleut !... La foudre a éclaté... elle s'est abattue sur ma fenêtre entrouverte, et m'a étendu sur le carreau, frappé au front. Pauvre jeune homme !... » Mais le *pauvre jeune homme* ajoute : « Pourquoi cet orage, et pourquoi la paralysie de mes doigts ? Est-ce un avertissement d'en haut pour m'empêcher d'écrire, et de mieux considérer à quoi je m'expose, en distillant la bave de ma bouche carrée ? » Cette conception de l'écriture, fondée sur la double notion de *besoin* et de *risque*, mérite qu'on s'y arrête. Elle justifie que l'on interroge *Maldoror* du point de vue du langage. Elle est la source de cette rapidité de trait (de *jet,* dit Julien Gracq [2]) de l'œuvre qui en fait, en un sens, le contraire absolu de toute « littérature » et commande que l'on aille droit au texte, et nulle part ailleurs. On lit à la fin de

1. André Breton, préface à l'édition G.L.M. des *Œuvres complètes* de Lautréamont, reprise dans l'édition J. Corti, p. 42.
2. *Lautréamont toujours,* éd. J. Corti, p. 67.

la strophe 7 du *Chant VI* : « ... Il n'y a pas lieu de délayer dans un godet la gomme de laque de quatre cents pages banales. Ce qui peut être dit dans une demi-douzaine de strophes, il faut le dire, et puis se taire. »

1. STRUCTURES

L'originalité la plus évidente des *Chants de Maldoror* en tant qu'œuvre littéraire composée et organisée réside probablement dans l'alternance, la combinaison et souvent l'alliance intime de deux modes d'expression : le *récit* et le *discours*. Cette alternance, cette combinaison, cette alliance ne sont nullement anarchiques et livrées au hasard : elles sont au contraire parfaitement conscientes et placées en permanence sous le contrôle de ce que Maurice Blanchot appelle fort bien une « vigilance supérieure [1] ». Mais apparemment l'œuvre est soumise à une distorsion. Ce qui appartient au récit la tire dans le sens du roman, ce qui appartient au discours poétique la tire dans le sens de l'épopée (ou poésie de l'*epos*, de la parole). D'un côté — pour reprendre une excellente distinction de Gérard Genette — une « imitation, par récit ou représentation scénique, d'une action, réelle ou feinte », de l'autre « une parole qui s'investit directement dans le discours de l'œuvre » (parole englobant « tout ce qui est éloquence, réflexion morale et philosophique, exposé scientifique ou para-scientifique etc. [2] »).

A ces deux ordres d'expression correspondent d'ailleurs deux séries de modèles : les auteurs de romans noirs, les romanciers populaires, Eugène Sue, Ponson du Terrail, qui sont les maîtres de l'action ; Dante, Byron, Gœthe, qui sont les maîtres de l'éloquence. Lautréamont se réclame expressément des uns et des autres, mais il impose au langage des premiers des formes solennelles et pompeuses, au langage des seconds des formes parodiques et dégradées : comme si une de ses préoccupations était de combler l'écart qui sépare le *récit* du *discours*, en vue de contester sans cesse l'un par l'autre. On

1. *Lautréamont et Sade*, éd. de Minuit, p. 251.
2. « Frontières du récit », in *Communications*, n° 8 (1966), repris dans *Figures II*, éd. du Seuil, p. 49.

pourrait en un sens, si l'on voulait insister sur la force explosive de l'œuvre, parler d'une opération de « dynamitage » du *récit* par le *discours*, et réciproquement. Mais c'est peut-être Julien Gracq qui a trouvé le mot le plus juste lorsqu'il a dit que Lautréamont était « le grand dérailleur de la littérature moderne [1] ». Ce qui se passe en effet dans *les Chants de Maldoror,* c'est que l'auteur fait constamment *dérailler* le récit vers le discours et le discours vers le récit. On ne peut d'ailleurs qu'admirer la clairvoyance avec laquelle Lautréamont, dès les premières lignes de son livre, a mis le lecteur en garde contre les dangers d'une telle « désorientation » : « Plût-au-ciel que le lecteur, enhardi et devenu momentanément féroce comme ce qu'il lit, trouve sans se désorienter, son chemin abrupt et sauvage, à travers les marécages désolés de ces pages sombres et pleines de poison [2]. » Non seulement le verbe « se désorienter » est expressément prononcé ici, indiquant que l'œuvre implique une « orientation », c'est-à-dire une direction, un sens, une continuité qu'il faudra retrouver à travers des obstacles, mais le mot « marécages » nous renseigne sur la nature de ces obstacles : ce sont des espaces morts, stagnants, dans lesquels le récit se perd et s'enlise (quinze lignes plus loin, Lautréamont parlera de « landes inexplorées »). Or précisément le rôle du discours poétique est de marquer un arrêt, une *stase* dans le récit. Sartre a insisté, à juste titre, sur cette fonction de la poésie « qui est le moment de respiration où l'on revient sur soi » et implique toujours un arrêt, une pause, une immobilisation dans l'ordre de la communication [3]. Le seul problème est de savoir quel est le mode d'expression prioritaire, dans *les Chants de Maldoror,* du récit ou du discours, quel est celui qui donne à l'œuvre sa ligne générale, son mouvement, son rythme essentiel, sa structure fondamentale. Il nous semble, pour les raisons que nous venons d'indiquer, que ce ne peut être que le récit (en dépit des apparences, puisque le livre se présente comme un *poème,* comme une suite de *chants* divisés eux-mêmes en *strophes*), le discours poétique intervenant toujours comme négation, autodestruction de ce récit, interruption par *étalement* de la continuité

1. Texte cité, p. 67.
2. Ed. J. Corti, p. 123. Toutes les indications de pages qui vont suivre renvoient à cette édition.
3. « L'écrivain et sa langue », *Revue d'esthétique,* n° 3-4, p. 320.

narrative. La narration court à travers l'œuvre, la fait avancer, mais à tout moment en effet s'étale, comme si Lautréamont s'arrêtait pour *prendre la parole*, constitue des plages, des plates-formes d'où le discours poétique prend son essor. Ces stations sont des haltes dans le récit où le langage de la poésie éloquente trouve l'occasion de « se réaliser » sous les formes les plus diverses. Il est possible de considérer en ce sens l'œuvre de Lautréamont comme une allégorie des embûches, des obstacles, des contradictions, des impossibilités qui interviennent sans cesse dans le cours de tout récit et en rendent l'accomplissement problématique. Telle est la signification du *Chant VI* où Lautréamont déclare brusquement son intention d'en finir avec les essais des chants précédents et d'écrire un *roman* (ce sera le « roman » de Mervyn) : « Les cinq premiers récits n'ont pas été inutiles ; ils étaient le frontispice de mon ouvrage, le fondement de la construction, l'explication préalable de ma poétique future : et je devais à moi-même, avant de boucler ma valise et me mettre en marche pour les contrées de l'imagination, d'avertir les sincères amateurs de la littérature, par l'ébauche rapide d'une généralisation claire et précise, du but que j'avais résolu de poursuivre. » Et plus loin : « Aujourd'hui, je vais fabriquer un petit roman de trente pages ; cette mesure restera dans la suite à peu près stationnaire. Espérons voir promptement, un jour ou l'autre, la conséquence de mes théories acceptée par telle ou telle forme littéraire, je crois avoir enfin trouvé, après quelques tâtonnements, ma formule définitive. C'est la meilleure : puisque c'est le roman [1] ! » Quelle que soit la désinvolture avec laquelle Lautréamont traite ici le genre romanesque, on voit qu'il s'y réfère comme à une « forme » ne pouvant être atteinte et réalisée qu'au terme de multiples détours dont le sens général est celui d'une *propédeutique*. « Tout se passe exactement, dit Maurice Blanchot, comme si Ducasse avait le sentiment que, par rapport aux romans qu'il se propose d'écrire, l'œuvre déjà écrite représentait le travail nécessaire à la naissance progressive du *romancier* : par cette œuvre, l'être absent qu'est *Lautréamont* s'est lentement et dans un combat qui représente bien le dur travail de la naissance, dans cet écoulement de sang, d'humeurs, dans cette collaboration de la patience et de la violence qu'est

1. P. 322-323.

la naissance, Lautréamont, repoussant définitivement Ducasse, s'est donné le jour[1]. » Cette propédeutique du roman qui n'est autre que le livre en marche, le fondement d'une « poétique future » (et l'on sait que Lautréamont qui sous-titrera ses *Poésies* « Préface à un livre futur » est toujours sous l'empire de cette notion) implique nécessairement l'idée d'un récit se structurant et se déstructurant tout ensemble à travers des formes étrangères (celles du discours) dont il tente à la fois l'intégration et le dépassement. Aussi faut-il essayer de montrer comment ce récit avance, mais aussi comment il s'arrête, comment il se fait, mais comment il se défait.

La partie narrative des *Chants de Maldoror* est aisée à décrire. Divers épisodes mettent en scène Maldoror ou le narrateur, un *il* ou un *je* qui est tantôt l'un tantôt l'autre mais aussi l'un *et* l'autre (un constant transfert d'identité s'établissant ou du moins demeurant toujours possible du sujet à l'objet de la narration), quelquefois également des personnages secondaires rapidement nommés intervenant de manière subsidiaire ou comme substituts de l'auteur ou de son héros (Léman, Lohengrin, Lombano, Holzer, Mario, Tremdall, Falmer, Reginald, Aghone), dans des situations qui comportent presque toutes les éléments anecdotiques d'un bref drame se déroulant dans la surprise, la violence ou la cruauté. Ces scènes se présentent comme des tableaux dont la continuité est toujours problématique : il arrive qu'un lien les unisse, il arrive qu'ils soient parfaitement indépendants les uns des autres. Il est facile d'en donner quelques exemples : Maldoror exerçant sa cruauté sur un enfant (*Chant I,* strophe 6), le dialogue familial autour de la lampe entre le père, la mère, le fils et le héros (*Chant II,* strophe 11), l'enfant courant après l'omnibus (*Chant II,* strophe 4), Maldoror et l'enfant assis sur un banc des Tuileries (*Chant II,* strophe 6), l'accouplement avec la femelle du requin (*Chant II,* strophe 13), l'épisode de la folle qui passe en dansant (*Chant III,* strophe 2), l'épisode du cheveu géant perdu au couvent-lupanar (*Chant II,* strophe 5), l'homme pendu par les cheveux par sa mère et sa femme (*Chant IV,* strophe 3), la nage de l'amphibie (*Chant IV*, strophe 7), le passage du

1. Ouvrage cité, p. 358.

cortège funéraire (*Chant V,* strophe 6), la visite de l'araignée « de la grande espèce » (*Chant V,* strophe 7), le « roman » de Mervyn (*Chant VI).* Ces scènes se présentent presque toutes comme des tableaux animés dont la continuité est problématique : il arrive qu'un lien les unisse, mais ils sont pour l'essentiel indépendants les uns des autres. Dans ces conditions comment la continuité narrative s'établit-elle ? Comment le *récit* apparaît-il ?

D'abord, parce que chacune des histoires racontées vise à l'illustration d'un même thème, qui est celui de la cruauté militante. Un dynamisme de l'agression les traverse, instaurant de l'une à l'autre un courant, une chaîne de violence. Gaston Bachelard a dit là-dessus des choses décisives [1], mais il importe de souligner que le « vouloir-attaquer » dont il parle n'est pas seulement une réalité psychologique, mais aussi un « moteur » qui se trouve à l'origine d'une structure narrative impliquant la poursuite d'un mouvement offensif, le tracé d'une ligne *inflexible.* Le récit s'établit alors comme une trajectoire reliant des épisodes disparates, mais s'inscrivant dans un même espace mental et parcouru par un même influx (musculaire ou nerveux). Il ne prend pas un aspect linéaire — le terme supposant une continuité harmonieuse de trait — mais rectiligne : Bachelard avait été frappé avec juste raison par l'allusion faite dans l'épisode de l'amphibie au « pèlerinage indomptable et rectiligne [2] » du monstre. Il importe d'ailleurs de noter que le mouvement narratif ainsi obtenu se double sans cesse d'un mouvement « logique », chaque anecdote ayant la valeur d'une démonstration. Cela apparaît nettement dans l'usage que Lautréamont fait d'expressions comme « Je me propose de... », « J'établirai que... », « J'avertis que... » qui, loin d'introduire toujours au *discours*, ouvrent souvent la voie du *récit.* L'exemple le plus étonnant est fourni par le début de la strophe 3 du *Chant I* : « J'établirai dans quelques lignes comment Maldoror fut bon pendant ses premières années, où il vécut heureux : c'est fait [3] » : à peine le récit est-il annoncé qu'il est court-circuité, une ligne d'affirmation, de pur énoncé ayant eu la valeur d'une démonstration suffisante. La structure logique qui sous-tend

1. Gaston Bachelard, *Lautréamont,* éd. J. Corti, 1939 ; nouvelle édition augmentée, 1956.
2. P. 279.
3. P. 125.

la structure narrative en renforce (jusqu'à l'absurde, au paradoxe ou à la provocation, dans l'exemple que nous venons de citer) la vigueur, la continuité, le dynamisme.

La deuxième raison qui autorise à parler de récit et même de roman dans *les Chants de Maldoror* est évidemment la présence d'un personnage dont l'intervention permanente ne peut être que source de continuité. Mais Maldoror est-il un personnage de roman ? La question est loin d'être simple et ne saurait recevoir de réponse décisive. Maldoror n'a pas de réalité « substantielle ». Il est d'abord un nom (« Jamais... oh ! non, jamais !... une voix mortelle ne fit entendre ces accents séraphiques, en prononçant, avec tant de douloureuse élégance, les syllabes de mon nom ! Les ailes d'un moustique... Comme sa voix est bienveillante... M'a-t-il donc pardonné ? Son corps alla cogner contre le tronc d'un chêne... Maldoror ! » — fin du *Chant IV* [1]). Il ne s'incarne que dans la métamorphose, la contradiction, la négation de soi-même, apparaissant tantôt comme un « monstre », tantôt comme un « pauvre jeune homme », tantôt comme un « visage d'hyène », tantôt comme un malheureux « au front ridé », tantôt comme un être dont la beauté « a bouleversé plus d'une », ou devenant purement et simplement animal, aigle, vautour, crabe, requin. Ses cheveux sont aussi bien « noirs et ondulés » que « blancs comme neige », « d'or », ou « hérissés ». Lautréamont, bien avant tel romancier contemporain, a liquidé avec une suprême aisance la notion d'identité qui traditionnellement fonde celle de personnage. Maldoror n'a, au fond, de réalité qu'emblématique et métaphorique : il est « celui qui ne sait pas pleurer », « le frère de la sangsue », « l'homme aux lèvres de jaspe », « l'homme aux lèvres de soufre », le « céleste Bandit », « le corsaire aux cheveux d'or ». S'il échange sa personnalité avec celle du narrateur (et ce genre d'échange peut atteindre une rapidité paroxystique dont le plus bel exemple est donné par l'intervention du *je* à la fin de l'épisode de l'accouplement avec la femelle du requin — *Chant II* strophe 13 [2] — pourtant décrit de loin et objectivement), nous ne

1. P. 284.
2. P. 211.

sommes pas mieux renseignés, ce dernier se confondant parfois totalement avec Isidore Ducasse au moment où il écrit, mais se présentant aussi bien comme un homme « de plus de trente ans » qui n'a jamais connu le sommeil « depuis l'imprononçable jour de sa naissance » *(Chant V)* ou comme un moribond écrivant sur son lit de mort *(Chant I).* Maldoror n'apparaît qu'à travers des « formes méconnaissables aux yeux exercés » *(Chant VI).* Les catégories du temps lui sont aussi étrangères que celles de l'espace (« Aujourd'hui il est à Madrid ; demain il sera à Saint-Pétersbourg ; hier il se trouvait à Pékin [1] »).

Il est cependant qualifié de « poétique Rocambole [2] », et ce qui peut-être lui permet de retrouver une certaine vérité romanesque, c'est non seulement la nature mais le cadre de ses « exploits ». Maldoror évolue en effet dans un monde qui n'est pas simplement celui des romans noirs de Walpole ou de Maturin et d'un certain roman-feuilleton de l'époque, mais aussi de ce qu'on pourrait appeler le roman à l'état pur : un univers où l'aventure s'édifie sur de purs archétypes de l'imagination enfantine. Univers extraordinairement foisonnant où il est question de tempêtes, de naufrages, de voyages au long cours, de pilleurs d'épaves, de vols d'oiseaux de toutes sortes, de supplice du scalp, de chasse à l'autruche, de poursuite de nègres marrons. Il est bien évident que cette thématique romanesque est puisée dans un arsenal qui est celui des lectures de l'adolescence, mais elle est reconstruite et redistribuée par un libre élan de l'imagination narrative, et surtout Maldoror traverse ces images, se découpe sur le fond qu'elles représentent dans un mouvement qui est souvent celui d'une chevauchée : « ... ce cheval qui ne galope que pendant la nuit, tandis qu'il porte son maître-fantôme, enveloppé dans un long manteau noir » *(Chant I),* « Harcelé par sa pensée sombre, Maldoror, sur son cheval, passe près de cet endroit avec la vitesse de l'éclair » *(Chant II),* « Maldoror s'enfuyait au grand galop, en paraissant diriger sa course vers les murailles du cimetière » *(Chant V).* Maldoror se définit donc comme personnage de roman moins par son individualité (insaisissable) que par l' « espace romanesque » qu'il parcourt : il y a en

1. P. 224.
2. *Ibid.*

lui ce mouvement qui, conduisant un héros, d'aventure en aventure, d'exploit en exploit, de méfait en méfait, en fait comme un produit « cinétique » de l'univers qui l'enveloppe.

Enfin, un élément non négligeable du récit « maldororien » réside dans le dynamisme interne des images elles-mêmes. Le livre donne souvent l'impression d'avancer, de se dérouler comme un roman, parce qu'il évoque des scènes ou décrit des situations qui impliquent elles-mêmes le mouvement. Nous venons d'en voir un exemple avec les visions de chevauchée. Il en existe beaucoup d'autres. C'est ainsi que dès le début de l'œuvre, le lecteur est présenté comme quelqu'un qui va marcher à travers le livre mais qui peut y renoncer, qui a la faculté de « diriger ses talons en arrière et non en avant » *(Chant I)*. S'il se décide, sa lecture sera une sorte de cheminement persévérant dont l'orientation est symbolisée par toutes sortes d'images annexes et latérales ayant valeur de signes. Le héros lui-même marche constamment, inlassablement, montrant la route : « Une fois, cette jeune fille me précéda dans la rue, et emboîta le pas devant moi. Si j'allais vite pour la dépasser, elle courait presque pour maintenir la distance égale » *(Chant II)*, « ... je repris avec tristesse mon chemin à travers les dédales des rues » *(Chant III)*, « Dès que la nuit exhorte les humains au repos, un homme que je connais marche à grands pas dans la campagne » *(Chant V)*. Sans cesse un mouvement de poursuite, de course (la fuite devant Tremdall, *Chant III*, strophe 3). Des images de nage ou de vol viennent souligner ou renforcer cette dynamique [1]. Les premières particulièrement belles dans les épisodes du naufrage de la femelle du requin et de l'amphibie. Les secondes intervenant fréquemment comme métaphores épiques avec une force de « signalisation » exceptionnelle : l'admirable évocation de la formation des grues frileuses volant « puissamment à travers le silence, toutes voiles tendues, vers un point déterminé de l'horizon » *(Chant I)*, la reprise du même thème dans la description du vol des étourneaux « réunis par une tendance commune vers le même point aimanté » *(Chant V)*, la traversée d'une nuit d'orage par « des légions de poulpes ailés » *(Chant II)*, le vol somptueux du milan royal *(Chant V)*. D'ailleurs la métaphore elle-même est pour

1. Au sujet de tout ce qui précède, voir plus loin, p. 99 s.

Lautréamont pur mouvement : elle porte l'image en avant selon le sens étymologique du terme, elle la déploie, la lance au loin en somme (ce qui est exactement la fonction de la grande comparaison de type homérique employée si souvent dans les *Chants* et plus encore dans les célèbres « Beau comme... » des *Chants V* et *VI*). Il le dit lui-même : « Cette figure de rhétorique rend beaucoup plus de services aux aspirations humaines vers l'infini que ne s'efforcent de se le figurer ordinairement ceux qui sont imbus de préjugés ou d'idées fausses... [1] » *(Chant IV).* A la limite, c'est tout le langage qui a ce rôle moteur, ce pouvoir d'impulsion : il « entraînera » le récit par sa rapidité même. On sait que Lautréamont a été particulièrement conscient de cette précipitation créatrice du langage : « J'avertis celui qui me lit qu'il prenne garde à ce qu'il ne se fasse pas une idée vague et, à plus forte raison, fausse, des beautés de littérature que j'effeuille, dans le développement excessivement rapide de mes phrases » *(Chant IV).*

On voit donc que dans le tissu même des *Chants de Maldoror,* images et paroles, sont enfermés une multitude d'élans, de dynamismes, de mouvements, et comme de flèches, de signaux, qui *dirigent* véritablement le récit (ce verbe *diriger* qu'on rencontre dès l'ouverture est un de ceux dont Lautréamont ressent le mieux la force impérieuse : « Dirige la lueur de tes yeux vers ce que j'ai le droit, comme un autre, d'appeler mon visage [2] », *Chant V*) et en orientent le progrès.

Essayons de voir maintenant comment le récit s'arrête et comment intervient le *discours.* A vrai dire, si l'on convient d'appeler discours tout ce qui suspend la narration (ou la description d'une scène) au profit du libre développement d'une parole, poétique dans son principe, souvent redondante dans sa forme, qui ne s'investit qu'en elle-même, il est évident que le discours abonde dans les *Chants.* Il peut prendre les aspects les plus divers, les plus nobles comme les plus triviaux. Lautréamont lui-même n'hésite pas à parler de ses « élucubrations » : « l'âcre sérosité suppurative qui se

1. P. 278.
2. P. 299.

dégage avec lenteur de l'agacement que causent mes intéressantes élucubrations [1] » *(Chant V).*

En fait la forme la plus directe et la plus spontanée qu'affecte le discours est celle de l'*affirmation.* Elle peut se parer de masques différents, c'est toujours elle qui est à l'origine de ce ton de certitude implacable qui se rencontre si fréquemment dans Maldoror et semble ne jamais laisser place au doute, à l'inquiétude ou à l'hésitation. Elle est comme un timbre de la voix, elle a une force vibratoire, une intensité musicale (et l'on songe au témoignage de L. Genonceaux qui disait qu'Isidore Ducasse dans sa chambre d'hôtel de la rue Notre-Dame-des-Victoires, en 1867, « n'écrivait que la nuit assis à son piano... déclamait, forgeait ses phrases, plaquant ses prosopopées comme des accords [2] »). De l'affirmation, il a dit lui-même que ce qui devait la caractériser était l'absence absolue d'incertitude et de crainte : « car si cette affirmation était accompagnée d'une seule parcelle de crainte, ce ne serait plus une affirmation [3] » *(Chant IV).* Une forme-limite de l'affirmation — celle qui dérive le plus naturellement du discours épique et suspend le plus délibérément le récit — est l'*invocation* : invoquer, c'est affirmer une existence en la célébrant, en la nommant, en la « prononçant », c'est supprimer — par la suppression du verbe — non seulement toute action, mais toute possibilité d'appréciation ou de « relation », c'est choisir la parole dans son état le plus immobile et le plus stationnaire. L'invocation est la *stase* poétique par excellence. Et Lautréamont s'en est servi comme telle avec le génie que l'on sait : « Vieil océan, aux vagues de cristal... » (*Chant I,* strophe 9), « O mathématiques sévères... (*Chant II,* strophe 10), « O pédérastes incompréhensibles... » (*Chant V*, strophe 5). Ce n'est pas le lieu ici d'insister sur la qualité de langage de ces grands morceaux : il suffit de souligner que l'ample développement de la prose, le déploiement lyrique du discours y ont la valeur exacte d'une vaste pause respiratoire.

Il arrive d'ailleurs dans la prose de Lautréamont que la poésie s'insère par le biais d'une répétition anormale et insistante, comme si tout d'un coup la phrase se mettait à piétiner, à refuser d'avancer, à tourner sur elle-même dans d'incessantes reprises. Tout se passe

1. P. 287.
2. L. Genonceaux, préface à l'édition J. Corti, p. 11-12.
3. P. 252.

comme si un phénomène d'*enraiement* se produisait dans la parole, qui par là même passe tout d'un coup de l'ordre du récit ou de l'exposé à celui de la poésie. De très beaux exemples sont fournis par le *Chant II,* où Lautréamont semble avoir multiplié délibérément ce genre d'effet. Strophe 4 : dans la description de la vaine poursuite d'un omnibus sur le trajet Bastille-Madeleine par un petit garçon essoufflé, reprise obsédante de « Il s'enfuit... il s'enfuit ! » Strophe 6 : dans la scène de la « corruption » d'un enfant par Maldoror, reprise de « Cet enfant, qui est assis sur un banc du jardin des Tuileries, comme il est gentil ! » Strophe 7 : dans l'évocation du sommeil de l'hermaphrodite, reprise de « Là, dans un bosquet entouré de fleurs, dort l'hermaphrodite, profondément assoupi sur le gazon, mouillé de ses pleurs [1]. »

Cet effet n'est d'ailleurs qu'un mode singulier d'un effet utilisé beaucoup plus fréquemment et avec un très grand art, qui consiste à créer une atmosphère rassurante de calme et d'apaisement au moment même où va se développer une poussée particulièrement forte d'agressivité. Le contraste ainsi obtenu accroît l'intensité de la violence en faisant jouer le ressort de la surprise ou de la fausse sécurité. La cruauté maldororienne se développe toujours dans un contexte de paix, indispensable à l'exercice de la lucidité et de la maîtrise de soi. Elle a besoin d'un langage ouaté, silencieux, feutré (ce qui dans une perspective bachelardienne impose une référence presque évidente à l'attitude du fauve à l'affût, avant le bond), d'une prose à la lettre « pacifiée ». C'est ce type de prose qui ouvre nombre de strophes des *Chants,* suscitant une douceur, une tranquillité provisoires et suspectes, annonciatrices d'orages et d'horreurs, caressant insidieusement le lecteur par la sérénité même des images et des thèmes présentés : « Au clair de la lune, près de la mer, dans les endroits isolés de la campagne, l'on voit... » *(Chant I),* « Faisant ma promenade quotidienne, chaque jour je passais dans une rue étroite ; chaque jour, une jeune fille svelte de dix ans me suivait... » *(Chant II).* Dans ces cas Lautréamont use parfois de l'imparfait pour nous faire entrer directement dans la durée d'une action qui se déroule (« Une potence s'élevait sur le sol ; à un mètre de celui-ci était suspendu par les cheveux un

1. P. 168-179.

homme... [1] », *Chant IV),* mais avec plus de sûreté encore du ***présent actuel*** qui produit comme un « surgissement » à la fois rapide et calme (ce qui est exactement l'effet recherché) de la scène décrite : « Une famille entoure une lampe posée sur la table... » *(Chant I),* « Il est minuit ; on ne voit plus un seul omnibus... » *(Chant II),* « Voici la folle qui passe en dansant... » *(Chant II).* C'est au moment même où le récit reprend que, par un curieux renversement, il donne l'impression de se suspendre lui-même par contraste avec le discours d'où il émerge et la « catastrophe » vers laquelle il va.

Dernière forme enfin de « minage » du récit : l'élimination de toute unité de point de vue. On sait que la continuité du récit traditionnel est souvent une continuité « optique ». Un *je* parle ou un *il* nous guide, imposant un point de *vue* unique. Or non seulement le *je* du narrateur et le *il* de Maldoror se recoupent et se superposent avec la plus grande liberté, comme nous avons déjà eu l'occasion de le dire à plusieurs reprises, mais encore le *tu* et le *vous* interviennent-ils souvent : soit que Maldoror apparaisse comme l'objet d'une interpellation (ainsi dans la grande invective de Tremdall — *Chant II,* strophe 3), soit que le lecteur soit pris à partie ou à témoin, ce qui arrive, on le sait, à tout moment de l'œuvre. C'est pourtant dans l'usage du *on* que réside une des plus belles ressources d'expression de Lautréamont. Le *on* chez lui englobe avec une magnifique et impérieuse autorité tous les autres pronoms, confondant auteur, lecteur, Maldoror et tous les hommes, dans un discours impersonnel qui est le comble de l'*arrêt* du récit. A ce moment-là Lautréamont semble s'être absenté de son œuvre. C'est une voix neutre et anonyme qui prescrit, dicte, constate, affirme : « On doit laisser pousser ses ongles pendant quinze jours... » *(Chant I),* « ... l'on voit, plongé dans d'amères réflexions, toutes les choses revêtir des formes jaunes, indécises, fantastiques » *(Chant I).* Fréquentes d'ailleurs sont les tournures graves et solennelles impliquant l'anonymat de l'expression (en fait formes supérieures de l'affirmation) qui élèvent son langage à une hauteur doctorale ou prophétique, et tout particulièrement dans les sujets déplaisants ou dérisoires : « Il existe un insecte que les hommes nourrissent à leurs frais... » (stro-

1. P. 258.

phe du pou, au *Chant II*). A l'extrême limite, le *on* triomphant se dilue dans d'immenses entités abstraites : *l'homme, les hommes, le peuple* qui, bizarrement, deviennent les protagonistes d'une action concrète et circonstanciée de portée métaphysique (par exemple dans la strophe 15 du *Chant II,* où *l'homme* — « L'homme à la chevelure pouilleuse » — le Créateur et Maldoror sont les acteurs du drame qui se joue). Marcelin Pleynet a eu parfaitement raison de parler des « différences de lieu d'émission qui se révèlent dans chaque discours [1] » à propos de cette diversité d'origine de la voix qui se fait entendre dans *les Chants.* C'est une des sources de la constante rupture du récit par le discours.

Il resterait enfin à montrer comment le récit est « cassé » par les fréquentes interventions de l'auteur en tant que tel, ce qui a déjà été mis souvent en évidence. Rappelons simplement que c'est en particulier au début et à la fin de chaque chant que Lautréamont se montre, se découvre comme auteur dans une attitude de calme et insolente provocation qui a pour but de « défaire » le récit par l'intrusion d'un commentaire (inattendu ou déplacé) sur la façon dont il est en train de s'écrire : « Quant à moi, je vais me remettre au travail, pour faire paraître un deuxième chant... » (fin du *Chant I*), « Où est-il passé ce premier chant de Maldoror, depuis que sa bouche, pleine des feuilles de la belladone, le laissa échapper... » (début du *Chant II*), « Rappelons les noms de ces êtres imaginaires, à la nature d'ange, que ma plume, pendant le deuxième chant, a tirés d'un cerveau, brillant d'une lueur émanée d'eux-mêmes... » (début du *Chant III*), « Que le lecteur ne se fâche pas contre moi, si ma prose n'a pas le bonheur de lui plaire... » (début du *Chant V*). C'est d'ailleurs au début du *Chant IV* que Lautréamont joue le plus délibérément de procédés destinés à mettre en lumière le contrôle qu'il entend garder sur les fictions qu'il déroule, sur les phrases qu'il compose : « Je viens de trouver, je n'ai pas la prétention de dire le contraire, les épithètes propres aux substantifs pilier et baobab... [2] » (*Chant IV*), « Si le lecteur trouve cette phrase trop longue, qu'il accepte mes excuses [3]... ». Cette façon de souligner, dans l'ironie et la désinvolture, la conscience aiguë que l'on a

1. *Lautréamont par lui-même,* éd. du Seuil, p. 140.
2. P. 253.
3. *Ibid.*

de l'acte, du geste d'écrire, se retrouve fréquemment dans *les Chants*. Très nombreuses sont les allusions que Lautréamont fait aux *pages* qu'il remplit et accumule, à la *plume* dont il use pour écrire, à l'*encrier* dans lequel il la trempe. Et le lecteur est cent fois pris à témoin de ce travail de l'écriture, invité à le considérer de près, à en vérifier la validité, à s'y sentir impliqué et compromis. Le dernier mot du livre, d'une impertinence exemplairement « ducassienne », est d'ailleurs à la fois le plus destructeur et le plus créateur qui se puisse imaginer : « Allez-y voir vous-même, si vous ne voulez pas me croire » (fin du *Chant VI*).

On voit donc que peu d'œuvres sont aussi lucides et conscientes de leurs propres ressources que *les Chants de Maldoror*. Aussi est-il clair que l'usage que fait Lautréamont du *récit* et du *discours* s'explique non seulement par une aisance spontanée dans ces deux modes d'expression (aisance acquise dans une large mesure par une prodigieuse assimilation des disciplines rhétoriques de l'enseignement classique), mais par un besoin « calculé » d'équilibrer, de compenser l'un par l'autre. Sans doute est-ce là la source de ce qui caractérise le plus fortement *les Chants* ; l'union paradoxale de la vitesse et de la lenteur, de la précipitation et de la majesté, de la violence et de la pompe, de l'élan agressif et du « calme solennel », du mouvement et de l'immobilité. Lautréamont le savait parfaitement. Dans le passage du *Chant IV* où il parle des « beautés de littérature qu'il effeuille, dans le développement excessivement rapide de (ses) phrases », il ajoute, sitôt après ces mots : « Hélas, je voudrais dérouler mes raisonnements et mes comparaisons lentement et avec beaucoup de magnificence (mais qui dispose de son temps ?) pour que chacun comprenne davantage, etc. [1] »

On sent ici que l'ambition de Lautréamont est de relever dans une œuvre le double défi de la rapidité et de la magnificence, ou plutôt de *faire une œuvre pour* relever ce double défi, pour dominer cette opposition. Ambition qui ne va pas sans angoisse : la petite phrase « mais qui dispose de son temps ? » (étrangement éclairée par le destin même du poète) le montre assez. Il se peut précisément que cette sorte d'angoisse (d'où des composantes psycho-

1. P. 275.

pathologiques ne sont en aucune manière à exclure) ne puisse être maîtrisée que par le sang-froid créateur et soit par là même à l'origine des structures littéraires que nous avons essayé de mettre en évidence. L'œuvre, au-delà de ses contradictions apparentes, est alors une manifestation suprême d'unité et d'autonomie : « Si j'existe, je ne suis pas un autre. Je n'admets pas en moi cette équivoque pluralité. Je veux résider seul dans mon intime raisonnement [1] » *(Chant V).*

2. FANTASMES

Si importants que soient les faits d'écriture dans *les Chants de Maldoror,* si décisive que soit l'organisation littéraire de l'œuvre, il nous semble difficile de ne pas y souligner aussi, comme déterminante, la présence de fantasmes et plus particulièrement de fantasmes corporels. Négliger cela au profit d'une approche purement « scripturale » des *Chants* reviendrait à mettre en avant une vision très « idéaliste » du texte de Lautréamont, en refusant d'y prendre en considération la part de l'organique et du biologique qui y est capitale, comme l'a vu le premier et très lucidement Bachelard. Aussi nous paraît-il nécessaire de compléter tout ce qu'on peut dire de la réalité structurale de l'œuvre, par un certain nombre d'indications sur sa réalité fantasmatique. Ce qui ne signifie en aucune manière que l'on doive voir en Lautréamont un cas pathologique, comme l'ont suggéré certains travaux récents [2]. Simplement, il faut bien admettre qu'une œuvre comme *les Chants* offre une notable proportion de tableaux, de situations, d'images qui sont comme la mise en scène (la mise en texte) de fantasmes nécessairement vécus au niveau du corps. Nous ne dirons pas vécus préalablement à l'écriture, (qui les formule et les articule) mais, dans une certaine mesure, indépendamment d'elle. Ce qui revient à revendiquer l'existence de l'homme Lautréamont (l'homme Ducasse) avec

1. P. 297.
2. Notamment l'ouvrage du professeur J.-P Soulier, *Lautréamont : génie ou maladie mentale,* éd. Droz, 1964.

ses pulsions, ses violences, ses fixations, son agressivité et la prodigieuse liberté de son imagination somatique, en dehors même de toute appréciation de la nature de son œuvre : car quelle que soit l'intention profonde des *Chants* (construction parodique ou promotion d'une « nouvelle science », mystification pure et simple ou allégorie de l'écriture), l'extraordinaire pression du fantasme organique demeure et se met, dans tous les cas, au service de cette intention.

Il faudrait, peut-être, pour bien le comprendre, tenter une *psychanalyse* de Lautréamont. En réalité nous pensons que cette activité fantasmatique relève à la fois de l'imagination littéraire et de la conscience biologique. C'est dire qu'elle se situe en un lieu que Bachelard, par exemple, a bien cerné. Il nous semble pourtant qu'on pourrait mieux le cerner et définir encore, en tenant compte des exemples fournis par certaines œuvres contemporaines où la prise en charge délibérée de fantasmes corporels déterminés, éclaire et parfois prolonge curieusement les virtualités de l'œuvre de Lautréamont. C'est ainsi que l'œuvre de Beckett devrait apprendre à lire ou à relire *les Chants de Maldoror*. On se rendrait compte que la presque totalité des fantasmes beckettiens du corps — et plus particulièrement d'un corps agressé, menacé du dehors aussi bien que du dedans, et cherchant sa sauvegarde dans l'inertie, la pétrification ou la métamorphose — se rencontre déjà d'une manière ou d'une autre chez Lautréamont (ce qui n'est pas un hasard, l'œuvre de Lautréamont étant vraisemblablement une des clés et même des sources importantes de celle de Beckett). On le constate à l'évidence, lorsqu'on prête attention par exemple à telle inquiétude de Molloy : « ... Ce que j'avais de détraqué déjà se détraquait de plus en plus, petit à petit, comme il fallait s'y attendre. Mais il ne s'alluma aucun nouveau foyer de souffrance ou d'infection, à part naturellement ceux créés par l'extension des pléthores et déficiences déjà dans la place. A vrai dire, il est difficile de rien affirmer avec certitude à ce sujet. Car les désordres à venir, telle par exemple la chute des doigts de mon pied gauche, non, je me trompe, de mon pied droit, qui peut savoir à quel moment exactement j'en accueillis, oh bien malgré moi, les funestes semences [1] ? » Ou à cette autre : « Oui, ne

1. Samuel Beckett, *Molloy*, éd. de Minuit et 10/18, p. 72-73.

pouvant rester debout ni assis avec confort, on se réfugie dans les différentes stations horizontales comme l'enfant dans le giron de sa mère. On les explore comme jamais avant et on y trouve des délices insoupçonnées. Bref, elles deviennent infinies. Et si, malgré tout, on vient à s'en lasser à la longue, on n'a qu'à se mettre debout pendant quelques instants, voire se dresser tout simplement sur son séant. Voilà les avantages d'une paralysie locale et indolore. Et cela ne m'étonnerait pas que les grandes paralysies classiques comportent des satisfactions analogues et même peut-être encore plus bouleversantes. Etre vraiment dans l'impossibilité de bouger, ça doit être quelque chose ! J'ai l'esprit qui fond quand j'y pense. Et avec ça une aphasie complète ! Et peut-être une surdité totale ! Et qui sait, une paralysie de la rétine ! Et très probablement la perte de la mémoire ! Et juste assez de cerveau resté intact pour pouvoir jubiler [1] !... » Cette autre encore : « ... Mais tout cela n'était rien à côté du visage qui ressemblait vaguement, j'ai le regret de le dire, au mien, en moins fin naturellement, même petite moustache ratée, mêmes petits yeux de furet, même paraphimosis du nez, et une bouche mince et rouge, comme congestionnée à force de vouloir chier sa langue [2]. » On pourrait citer aussi cette obsession de Malone : « Je ne veux plus peser sur la balance d'un côté ni de l'autre. Je serai neutre et inerte. Cela me sera facile. Il importe seulement de faire attention aux sursauts. Du reste, je sursaute moins depuis que je suis ici. J'ai évidemment encore des mouvements d'impatience de temps en temps. C'est d'eux que je dois me défendre maintenant, pendant quinze jours, trois semaines [3]. » Ces exemples sont intéressants, parce qu'ils font *tous* allusion, à l'évidence, à quelque état pathologique du corps assumé non dans la douleur, mais dans la dérision agressive ou le bonheur de l'inertie, *renversement* dont Lautréamont, précisément, joue sans cesse, et avec quelle virtuosité. Le dernier d'entre eux a d'ailleurs l'avantage de nous mettre en relation avec une autre référence possible : celle de Roquentin, dans *la Nausée,* dont la condition corporelle n'est parfois pas très différente de celle de Malone et illustre beaucoup plus qu'on ne l'a généralement souligné, une physiologie fantasmatique assez sem-

1. *Molloy,* p. 186-187.
2. *Ibid.,* p. 201.
3. *Malone meurt,* éd. de Minuit et 10/18, p. 7-8.

blable à celle du personnage beckettien. Le héros de Sartre a lui aussi la hantise du mouvement, il s'adresse à plusieurs reprises, comme Malone, l'injonction de ne plus bouger, de ne plus faire de geste, sous peine de provoquer des catastrophes, des dissolutions, des métamorphoses (faut-il le dire ? l'œuvre de Kafka nous apporterait ici un certain nombre de situations similaires) et il nous propose un autre exemple d'obsession somatique qui mérite d'être noté comme appartenant à la famille « ducassienne » des fantasmes du corps. Rien de plus frappant par exemple à ce sujet, que ce passage de *la Nausée* où Roquentin, dans un bizarre rêve surréaliste, évoque ce qui pourrait advenir dans un monde où l' « existence » proliférerait anarchiquement : « Par exemple, un père de famille en promenade verra venir à lui, à travers la rue, un chiffon rouge comme poussé par le vent. Et quand le chiffon sera tout près de lui, il verra que c'est un quartier de viande pourrie, maculé de poussière, qui se traîne en rampant, en sautillant, un bout de chair torturée qui se roule dans les ruisseaux en projetant par spasmes des jets de sang. Ou bien une mère regardera la joue de son enfant et lui demandera : ‘ Qu'est-ce que tu as là, c'est un bouton ? ’ et elle verra la chair se bouffir un peu, se crevasser, s'entrouvrir et, au fond de la crevasse, un troisième œil, un œil rieur apparaîtra. Ou bien, ils sentiront de doux frôlements sur tout leur corps, comme les caresses que les joncs, dans les rivières, font aux nageurs. Et ils sauront que leurs vêtements sont devenus des choses vivantes. Et un autre trouvera qu'il y a quelque chose qui le gratte dans la bouche. Et il s'approchera d'une glace, ouvrira la bouche : et sa langue sera devenue un énorme mille-pattes tout vif, qui tricotera des pattes et lui raclera le palais. Il voudra le cracher, mais le mille-pattes ce sera une partie de lui-même et il faudra qu'il l'arrache avec ses mains [1]... » Il est clair que chacun des détails évoqués ici insiste, avec une curieuse complaisance, sur quelque secrète obsession corporelle, sur quelque obscur tressaillement organique (on sait d'ailleurs que Sartre a fait part ici d'un certain nombre d'hallucinations physiologiques réellement éprouvées par lui en diverses circonstances) et que, plus encore que chez Beckett, les étranges situations représentées se trouvent « fantasmées » avec réalisme et humour.

1. Jean-Paul Sartre, *La Nausée,* éd. Gallimard, p. 222-223.

Nous sommes très proches de Lautréamont. Ce genre d'exemple nous permet même, par comparaison, d'apprécier dans une sorte de grossissement suggestif, la nature assez exacte d'un certain nombre de « phénomènes » dont *les Chants de Maldoror* sont le théâtre. C'est là que nous voudrions en venir maintenant. Nous avons dit que nous nous bornerions à des indications. Les « cas » choisis sont ceux qui, sur le plan spécifique du fantasme corporel, nous paraissent les plus caractéristiques.

1. LA « CHOSIFICATION » DU CORPS.

Nous commencerons par celui que nous avons été conduit à évoquer déjà à plusieurs reprises, comme révélateur du malaise obsessif que Lautréamont semble partager avec des auteurs contemporains, et dont la strophe 4 du *Chant IV* : « Je suis sale. Les poux me rongent [1]... » donne la plus parfaite illustration. Ces lignes sont curieuses. Dès le début, par une suite d'affirmations fortement ponctuées, elles tendent à *poser*, chez le narrateur, la saleté, comme un défi ou une transgression (la saleté, d'ordinaire, se masquant ou se révélant selon quelque ligne de fuite, et ne s'affirmant pas comme acceptée, établie). Tout le lexique des premières phrases a pour fonction d'en donner la conscience physique la plus repoussante (poux, pourceaux, vomissent, croûtes, escarres, lèpre, écaillé, pus jaunâtre, fumier, etc.), les allusions antiphrastiques à l' « eau des fleuves » ou à la « rosée des nuages » (bien dans le style de Lautréamont) assurant, par contrepoint, la mise en relief des mots énumérés. Mais très vite, on s'aperçoit qu'il s'agit de quelque chose de beaucoup plus complexe que la saleté : la présence *sur* le corps, de ce qui le transforme en chose, en objet répugnant, ou, provisoirement, en végétal. Transformation suggérée par l'évocation d'un énorme champignon « aux pédoncules ombellifères », par des allusions à des racines (« Mes pieds ont pris racine dans le sol »), à une végétation vivace « qui ne dérive pas encore de la plante et qui n'est plus de la chair ». Cette « végétalisation » du corps est caractéristique d'un fantasme qu'illustrent des œuvres d'artistes du haut Moyen Age allemand ou hollandais et de peintres surréalistes aussi bien que

1. Ed. J. Corti, p. 264 s.

des dessins d'enfants ou des compositions de schizophrènes. Elle signifie une obsession de la transformation de la chair en chose, comme le voit et le note très bien Lautréamont, et exprime donc un combat, dans l'espace même du corps, entre le vivant et l'inerte, entre ce qui bouge et ce qui est immobile. Aussi ne s'étonnera-t-on pas de voir la suite du texte ne décrire que ce combat, c'est-à-dire que ce fantasme. A partir du moment où Lautréamont écrit : « Cependant mon cœur bat », il pose que le mouvement le plus obstiné, le plus tenace, mais le plus secret, celui du cœur, persiste à l'intérieur de ce qui semble déjà être devenu matière, et que la vie ne va donc cesser d'assaillir du dehors comme du dedans celui qui nous apparaît déjà comme un arbre, comme un tronc rivé au sol. Mais elle prendra l'allure parasitaire de ce qui bouge, ce qui grouille, c'est-à-dire de l'animalité. Tout le tableau que Lautréamont va soigneusement dresser devant nos yeux, selon un travail de composition et d'écriture extrêmement élaboré et efficace, tendra à imposer cette présence animale dans un corps inerte, devenu « pourriture » et « cadavre ». Toute une série de détails soulignera qu'il s'agit là d'un assaut, d'un investissement progressif qui s'est fait contre le mouvement et la vie dont la victime n'est plus capable, qui n'a été rendu possible que par son impuissance à esquisser un geste de protection, son abence totale de défense, sa « paralysie » : « Oh, si j'avais pu me défendre avec mes bras paralysés ; mais je crois plutôt qu'ils se sont changés en bûches » (sommet de l'angoisse du corps « végétalisé » lignifié, mais en même temps expression suraiguë du fantasme onirique de l'homme ligoté, médusé, pétrifié, cloué sur place et livré désarmé à l'agression). Un peu plus loin, une notation naïve-ironique à propos d'un crabe qui a poussé son attaque, « encouragé par mon inertie » dit le narrateur, va dans le même sens. Chose curieuse, les animaux choisis (en général caractérisés par cette agressivité visqueuse, patiente et molle qu'a si bien analysée Bachelard dans ses réflexions sur la « ventouse ») prennent possession du corps dans une sorte de hiérarchie ou de progression du parasitisme : d'abord ils « remuent », « grattent » ou « chatouillent », ensuite ils se nourrissent, « sucent » ou « dévorent », enfin ils remplacent, « se substituent à » (« une vipère méchante a dévoré ma verge et pris sa place »), « interceptent » (« l'anus a été intercepté par un crabe »), ou écrasent telle ou telle partie du corps jusqu'à se confondre avec elle. Chose plus curieuse encore, ces animaux, s'ils n'ont pas une fonction à proprement parler emblématique, sont doués, par leur forme, leur consistance ou leur mouvement, d'une étrange adéquation à l'organe ou à la zone corporelle qu'ils « parasitent » : crapauds et caméléons se nichent sous les aisselles, une vipère se substitue à la verge, de petits hérissons se logent dans les testicules, un crabe garde avec ses pinces l'entrée de l'anus, des méduses se cramponnent au galbe convexe des fesses. Le fantasme est donc, en définitive, construit, structuré, « poétiquement » organisé, selon une savante et diabolique distribution des pressions cénesthésiques que le luxe « sensoriel » de la description cherche à préciser avec un maximum d'intensité. On remarquera que les localisations des agressions ont une signification délibérément sexuelle. Mais on notera surtout que l'ensemble obtenu réalise, dans l'imagerie, une manière de « groupe » vivant, d' « arbre », extrêmement représentatif dans sa violence répugnante et bouffonne, d'une sorte de symbolique infernale (dont effectivement toute une représentation médiévale des démons ou des damnés offre souvent la réplique) tendant à rendre physiquement perceptible, au niveau épidermique comme au niveau viscéral, la bestialisation de l'humain. Bestialisation qui se réalise dans la dérision et le burlesque, ce que Lautréamont ne manque pas de souligner par de multiples notations comiques, bien dans sa manière, et un ton général d'humour désinvolte qui « apprivoise » et rend presque familière cette monstruosité animale (y compris, semble-t-il, pour le patient). On voit donc le schéma chosification-végétalisation-bestialisation qui s'accomplit ici. Que cela se termine par une sorte de minéralisation du corps, ne surprendra pas, la logique du processus décrit étant en définitive de toujours « bloquer » le vivant dans l'inerte jusqu'à une sorte de perfection atroce et fascinante du mécanisme. Minéralisation est d'ailleurs un terme ambigu, puisque le *minéral* dont il est effectivement question ici est le *fer,* non seulement dans le sens d'une matière naturelle, mais dans celui d'une arme, d'un *glaive*. Car c'est un glaive qu'est devenue la colonne vertébrale de l'infortuné : « Ne parlez pas de ma colonne vertébrale, puisque c'est un glaive. » Image étonnante qui impose d'abord cette vision raide, droite d'un « arbre » humain, dont nous parlions plus haut, véritablement soutenu par un pieu, un pal qui le traverse à la manière d'une armature, mais surtout qui insiste sur la condamnation définitive du patient à « la maladie et l'immobilité » : ce glaive en effet le *fixe,* le cloue littéralement au sol. Plongé entre les os de ses épaules, il est comme la lame qui transperce *(transfixe)* le taureau à l'heure de la mise à mort. Référence que Lautréamont propose en clair, preuve qu'il en a ressenti physiquement tout le « dynamisme » (ainsi d'ailleurs sans doute que la signification rituelle) : « Ce poignard aigu s'enfonça, jusqu'au manche, entre les deux épaules du taureau des fêtes, et son ossature frissonna comme un tremblement de terre. La lame adhère si fortement au corps, que personne jusqu'ici n'a pu l'extraire. » Images merveilleuses de frémissement et de violence. Et qui, tout d'un coup, prolongeant la vision initiale, la renversent. Le fantasme de la saleté et de la lèpre se transforme en fantasme sacrificiel. Le grouillement animal de la vermine cède la place à la nudité minérale de l'épée. Etrange transformation dont le lieu est un *texte* éminemment producteur par sa richesse en métaphores-métamorphoses (s'articulant dans une incessante chaîne de contradictions). Mais spectacle *fantasmé* au plus haut degré, et dans le sens le plus précis du mot, puisque, né de l'équivoque et du sordide, d'un trouble organique viscéral, il s'épanouit dans une *scène* de crucifixion inspirant une crainte révérencielle : « Voyageur, quand tu passeras près de moi, ne m'adresse pas, je t'en supplie, le moindre mot de consolation : tu affaiblirais mon courage. Laisse-moi réchauffer ma ténacité à la flamme du martyre volontaire. » Et plus loin : « Tu raconteras à ton fils ce que tu as vu ; et le prenant par la main, fais-lui admirer la beauté des étoiles et les merveilles de l'univers, le nid du rouge-gorge et les temples du Seigneur. » Tel est le défi qui se formulait au fond de l'horreur obscure d'un corps transformé en *chose.*

II. ÉQUIVOQUES CORPORELLES.

Un autre thème, non dépourvu de liens avec le précédent mais pourtant d'une orientation dynamique très différente, est celui de la fusion — plus exactement peut-être de l'*échange* — de deux substances corporelles opposées. Il est très riche en signification, parce qu'il implique, au-delà de sa réalité sensible immédiate, un va-et-vient du *même* à *l'autre,* très révélateur des transmutations formelles qui sont constamment à l'œuvre chez Lautréamont (aussi bien dans son texte que dans la constitution de son univers). Un excellent exemple en est donné par la scène célèbre de l'accouplement de Maldoror avec « la femelle de requin » (*Chant II,* strophe 13 [1]). On sait qu'il s'agit d'une véritable union dont le lieu, le *milieu* est l'eau, que les deux amants traversent pour se rejoindre, l'une « l'écartant de ses nageoires », l'autre « battant l'onde avec ses bras ». Cette immersion dans un même élément les rapproche déjà et, quand ils se rencontrent, non seulement ils se reconnaissent, mais encore ils s'identifient l'un à l'autre : « chacun désireux de contempler, pour la première fois, son portrait vivant ». Leur étreinte, au début, est à la fois si ardente et si tendre qu'elle est désignée comme celle « d'un frère ou d'une sœur ». Mais, dit Lautréamont, « les désirs charnels suivirent de près cette démonstration d'amitié ». Tout va dès lors se passer comme si l'union intime qui se réalisait prenait la forme d'un hallucinant transfert substantiel : les cuisses *se collent* à la peau du squale, les bras et les nageoires *s'entrelacent,* et les deux amants, gorges et poitrines mêlées, ne sont plus qu'une « masse glauque aux exhalaisons de goémon ». On admirera cette dernière image : elle est assez étonnante en ceci que la fusion s'y exprime dans les figures de la translucidité trouble (glauque) et de la viscosité glissante (celle de l'algue), ainsi que dans une violente unité olfactive. L'*échange* corporel y est parachevé par l'intense resserrement du décor qui clôt la scène : le couple s'unit dans le tournoiement de la tempête et la lumière des éclairs, le tourbillon de « la vague écumeuse » devient pour lui un abri, un « lit d'hyménée », un « berceau », il s'enfonce dans « les profondeurs inconnues de l'abîme ». Le romantisme du tableau ne doit pas faire oublier le vertige de fusion-néantisation (retour au sein maternel, chute au fond de l'abîme) que presque chaque mot exprime avec une singulière sûreté et qui se traduit par une sorte de grandiose et abstraite conquête de l'unité : ce que résume l'image finale de « l'accouplement long, chaste et hideux » (si *long* en effet dans ses structures sonores qu'il se réduit à un étrange sifflement, filé et aigu, où tout s'accomplit mais aussi s'abîme et s'épuise).

1. P. 210-211.

L'exemple le plus curieux des équivoques corporelles dont nous parlons est d'ailleurs donné, sans doute, par le célèbre hermaphrodite du *Chant II* (strophe 7 [1]). Là, l'échange des substances est encore plus frappant puisqu'il se fait dans l'espace d'un même corps, et l'on voit, à cette occasion, le fantasme ducassien ramené en quelque sorte à son essence. Il ne suffit pas de noter que l'hermaphrodite sentant, chaque fois qu'il voit passer un homme et une femme, « son corps se fendre en deux de bas en haut, et chaque partie nouvelle aller étreindre un des promeneurs », renouvelle dramatiquement, dans ce que Lautréamont appelle justement sa *nature corporelle,* le vieux mythe platonicien de l'attraction des sexes séparés. Il faut remarquer aussi que tout ce qui l'entoure, ce gazon mouillé, ce bosquet tiède et plein de fleurs et d'oiseaux, cette atmosphère d'humidité et de larmes, a pour fonction de définir une fois encore un milieu clos où s'opèrent des osmoses. Et, si la nostalgie, la tristesse irrémédiable qui l'habite, est le signe visible de ce désir d'échange que tout son corps appelle, il faut bien voir qu'un tel appel s'inscrit d'abord dans chacune de ses attitudes, formes plastiques et concrètes de l'*équivoque.* Les muscles traversent les doux vallonnements de la chair : « Rien ne paraît naturel en lui, pas même les muscles de son corps qui se fraient un passage à travers les contours harmonieux de formes féminines. » Le blanc, dans ses traits, se juxtapose au rouge : « ... mais il ne répond pas à cette question imprudente qui répand, dans la neige de ses paupières, la rougeur de la rose matinale. » S'il est attaqué par des bandits masqués et flagellé par eux, il répond aux coups par un sourire : « Il se mit à sourire en recevant les coups, et leur parla avec tant de sentiment, d'intelligence sur beaucoup de sciences humaines qu'il avait étudiées... » C'est la « noblesse poétique de son âme » qui répond à la violence. Bref, il y a toujours deux forces qui se combattent en lui, et là est la source de sa « grande misère ». Mais la source aussi de cette mobilité dans l'immobile qui est la sienne, de ces courants fluctueux qui traversent constamment son corps, de ce perpétuel échange de tissus vivants et psychiques qui l'animent, dont son être est le *théâtre* : théâtre très exactement matérialisé par ce paysage de verdure qui l'enferme et dont il ne peut se disjoindre.

1. P. 177 s.

III. CHEVELURE/CHEVEUX.

Parmi les obsessions corporelles qui sollicitent Lautréamont, il est certain que celle de la chevelure a une place privilégiée. Bachelard l'a bien vu, qui n'a pas hésité à parler à ce propos, d'un « complexe du scalp [1] » (forme métaphorique, selon lui, du complexe de castration). A vrai dire, il s'est arrêté à mi-chemin, car s'il est exact que Ducasse a pu être hanté par « le manque expressif de chevelure » et que la strophe 8 du *Chant IV* comporte une obsédante évocation de Falmer scalpé de la main de Maldoror (avec cette lancinante vision récurrente : « Eloignez, éloignez donc cette tête sans chevelure » et, deuxième version : « cette tête chauve, polie comme la carapace de la tortue [2] »), il n'est pas moins exact que cette calvitie est d'abord l'envers de la réalité vivante que représentaient les « cheveux blonds » de Falmer. Or, on constate à tout moment que les cheveux, dans *les Chants,* ont une fonction signifiante d'emblème. Ils *signifient* soit le triomphe et la conquête : « Maldoror, corsaire aux cheveux d'or » (VI, 7). Soit la dégradation et l'abjection agressive : « Il y a des heures de la vie, où l'homme à la chevelure pouilleuse... » (II, 15). Dans ce dernier cas, ils apparaissent d'ailleurs comme la partie non seulement la plus souillée du corps (parce que siège d'élection du grouillement de la vermine), mais la plus vulnérable, celle en qui se distend ou se tranche le lien avec la vie. C'est très sensible dans la scène de la potence à la strophe 3 du *Chant IV* où l'on voit, dès les premières lignes, l'infortuné que supplicient sa mère et sa femme, pendu par les cheveux : « Une potence s'élevait sur le sol ; à un mètre de celui-ci, était suspendu par les cheveux un homme, dont les bras étaient attachés par-derrière [3]. » La tension de la peau du front, la traction exercée sur « la racine des cheveux » sont décrites avec la plus grande précision, ce qui révèle que ce fantasme n'a rien d'abstrait. Puis, tandis que les deux furies frappent le supplicié, est évoquée bizarrement, au détour d'une phrase — à propos du glissement des lanières sur la surface de la peau —, l'angoisse que l'on peut éprouver

1. *Lautréamont,* p. 66-67.
2. P. 281 et 283.
3. P. 258.

« quand on se bat contre un nègre et qu'on fait des efforts inutiles pour l'empoigner aux cheveux » : angoisse propre « au cauchemar », précise Lautréamont. La scène enfin se termine, lorsque Maldoror intervenant, d'un geste décisif, délivre le pendu en « coupant ses cheveux avec une paire de ciseaux ». C'est d'un *complexe d'Absalon* qu'il faudrait plutôt parler à propos de cet épisode, tant l'image de la suspension par les cheveux y est profondément liée à des fantasmes d'impuissance (cf. les « efforts inutiles » de la précédente citation) et à toute une angoisse de la vie et de la mort. La chevelure y apparaît comme ce qui fait vivre, mais aussi ce qu'il faut trancher pour vivre.

On comprend que, dans ces conditions, un unique cheveu détaché de la tête, puisse acquérir, lui aussi, une prodigieuse réalité fantasmatique. C'est ce qui apparaît dans le célèbre épisode du couvent-lupanar qui termine le *Chant III* [1]. Ce qui s'y impose d'abord c'est le contraste entre le caractère sordide et lépreux des lieux, évoqué avec une extrême insistance (cour fangeuse, grille grinçante, plâtre écaillé, baquet d'eau croupissante, férocité sanglante des coqs et des poules), et cette étrange fête du cheveu qui se met à danser dans le soleil éclairant la chambre obscure à travers le tamis du guichet, sous l'œil de l'observateur indiscret. Etrange fête, en effet, étrange grossissement. C'est l'image très précise d'un cheveu vu au microscope (une référence scolaire et biologique de plus chez Lautréamont qui en est prodigue) qui prend monstrueusement forme : « La première et la seule chose qui frappa ma vue fut un bâton blond, composé de cornets, s'enfonçant les uns dans les autres. Ce bâton se mouvait ! Il marchait dans la chambre ! Ses secousses étaient si fortes que le plancher chancelait... » Voilà donc ce bâton qui se met à vivre, à faire des bonds, se tordre, cogner les murs de ses deux bouts, se reposer parfois et surtout à parler. On comprend ce qui l'anime quand on sait qu'il y a en lui une substance génératrice de vie et que justement cette substance a été atteinte au plus vif d'elle-même quand « son maître » s'est livré à de basses mais intenses voluptés sexuelles comme il le révèle dans sa confession : « Moi, pendant ce temps, je sentais des pustules envenimées qui croissaient plus nombreuses, en raison

1. P. 237 s.

de son ardeur inaccoutumée pour les jouissances de la chair, entourer ma racine de leur fiel mortel, absorber, avec leurs ventouses, la *substance génératrice de ma vie* » (souligné par nous). Au paroxysme du plaisir et de la « fureur », le cheveu tombe : « ... je m'aperçus que ma racine s'affaissait sur elle-même, comme un soldat blessé par une balle. » Il est au fond impossible de mieux décrire la chute d'un cheveu. Ducasse, qui a probablement été très sensible à ce type d' « accident », le reconstitue très curieusement *du dedans* (de l'intérieur du corps) dans un mélange, que l'on pourrait dire très « beckettien » avant l'heure, d'hyper-réalisme et de bouffonnerie critique. Et c'est bien pour cela qu'il faut que le cheveu parle, témoigne, soutienne un long monologue : l'essence de ce cheveu est en effet *la parole* qui est ici la seule manifestation possible d'une protestation profonde du corps, donc de sa revendication irréductible de la vie. Il est saisissant qu'à la fin de la scène le malheureux bâton retrouve son maître, qui lui promet à plusieurs reprises de le « replacer parmi les autres cheveux », et s'embrasse avec lui « étroitement, comme deux amis qui se revoient après une longue absence ». Dernière ironie, dernière nostalgie, mais dernier rêve de réconciliation, de non-séparation dont la *parole* avait déjà, longuement, pris en charge les espoirs.

IV. COUPER/TRANCHER.

Le célèbre œil coupé au rasoir du *Chien andalou* de Buñuel est un hommage direct à Lautréamont. En effet, dans *les Chants de Maldoror*, l'acte de couper, de trancher, loin d'avoir uniquement les significations symboliques (ou castratrices) dont nous avons parlé plus haut, s'exprime aussi dans sa simple et vive netteté, on pourrait presque dire : gratuité, tant il paraît, parfois, ne rien traduire d'autre qu'un pur dynamisme du geste. N'importe quel lecteur en fera l'expérience dès les premières pages du livre, où il découvrira successivement Maldoror rêver de serrer un petit enfant sur son cœur pour, subrepticement, « lui enlever les joues avec un rasoir », prendre, tandis qu'il se regarde dans un miroir, « un canif dont la lame avait un tranchant acéré » et se fendre les chairs « aux endroits où se réunissent les lèvres » pour fixer une fois pour toutes le rire sur ses traits, « laisser pousser ses ongles pendant quinze jours » pour mieux les « enfoncer dans la poitrine molle » de sa victime [1]. Devant cette abondance de gestes qui coupent, taillent, percent, lacèrent, on peut se demander s'il s'agit d'une provocante, et tout compte fait facétieuse, mise en scène de collégien ou d'une vraie pulsion, profonde, forte, prégnante, caractérisée, qui traduit une fois de plus une obscure sollicitation corporelle. La dernière hypothèse, qui d'ailleurs à notre avis, ne contredit absolument pas la première, mérite d'être retenue, car il est clair que Ducasse a certainement éprouvé une fascination de la blessure et du sang (dès les premières pages, toujours : « Homme, n'as-tu jamais goûté de ton sang, quand par hasard tu t'es coupé le doigt ? ») et que c'est précisément l'acte d'écrire qui lui permet d' « accomplir » cette fascination (il serait plus juste encore de dire : d'assumer et d'effacer à la fois le *refoulé* de cette fascination), l'écriture se chargeant ici de toute la force vive de l' « inscription », de l' « incision » même. On le voit, à sa manière de décrire les lames, les objets qui tranchent. Le luxe des détails n'a rien à faire avec le réalisme, il est *signifiant* au niveau de la dynamique du texte. Par exemple, dans sa strophe 3 du *Chant II*, à propos de la rencontre avec Lohengrin que le narrateur se propose de tuer : « Tout était prêt, et le couteau avait été acheté. Ce stylet était mignon, car j'aime la grâce et l'élégance jusque dans les appareils de la mort ; mais il était long et pointu. Une seule blessure au cou, en perçant avec soin une des carotides, et je crois que ç'aurait suffi [2]. » Plus encore dans ce passage du *Chant III* (strophe 2 — à tous égards, un des moments de plus intense transgression « criminelle » et de cruauté suraiguë du livre), où Maldoror s'apprêtant à se livrer à un rite sacrificiel sur le corps d'une jeune fille déjà violée par un bouledogue, sort son couteau : « (Il) tire de sa poche un canif américain, composé de dix à douze lames qui servent à divers usages. Il ouvre les pattes anguleuses de cette hydre d'acier ; et, muni d'un pareil scalpel, voyant que le gazon n'avait pas encore disparu sous la couleur de tant de sang versé,

1. P. 125-128.
2. P. 167.

s'apprête, sans pâlir [1]... » Il est d'ailleurs caractéristique que ce passage s'encadre entre diverses notations qui renvoient au même motif (« Mais le chien n'ignorait pas que, s'il désobéissait à son maître, un couteau lancé de dessous une manche, ouvrirait brusquement ses entrailles » ou : « Je le plaignis, parce qu'il est probable qu'il n'avait pas gardé l'usage de la raison, quand il mania le poignard à la lame quatre fois triple... »). C'est vraiment en effet comme un motif que se croisent, dans la trame du texte, ces visions de lames, ces images « tranchantes » que Lautréamont semble manipuler avec une délectation particulière. Sadisme ? Cruauté ? Sans doute. Mais ce mot de *cruauté*, si souvent prononcé à propos de Ducasse (et par lui-même d'abord) doit être pris dans un sens formel, assez comparable à celui que lui donnait Artaud : non pas simplement une tendance à se montrer cruel, mais un style, une tension, une manière incisive et *crue* d'infliger au lecteur (comme au spectateur) la blessure d'une forme esthétique, qui entamera et « ouvrira » sa conscience. Il faut donc voir ces images autant comme une thématique que comme l'expression d'une pulsion. Thématique qu'on pourrait appeler, par certains côtés, chirurgicale, tant elle implique un besoin d'user de la plume comme d'un scalpel ou d'une aiguille, de fouiller, creuser, curer, couper, dans une espèce de jouissance aiguë de l'écriture (« Je pourrais, en prenant ta tête entre mes mains d'un air caressant, enfoncer mes doigts avides dans les lobes de ton cerveau innocent pour en extraire, le sourire aux lèvres, une graisse efficace qui lave mes yeux, endoloris par l'insomnie éternelle de la vie. Je pourrais, cousant tes paupières avec une aiguille, te priver du spectacle de l'univers » (*Chant II*, strophe 5 [2]). Humour, sans doute. Mais aussi très savante *cruauté* scripturale.

V. COURIR/MARCHER/DANSER.

Un des dynamismes corporels qui méritent enfin d'être soulignés dans *les Chants* est un des plus élémentaires qui soient : celui du déplacement dans l'espace. Mais il serait faux, précisément, de croire que les manifestations en sont « élémentaires ». Au con-

1. P. 230.
2. P. 173.

traire, elles affectent des formes complexes dans la mesure où, pour Lautréamont, se déplacer n'est jamais simplement aller d'un endroit à l'autre, mais toujours exécuter quelque figure, assumer un certain rythme du corps. Rythme qui peut être détendu, libre, mais aussi douloureux, lié là encore à une expérience de la cruauté, comme le montre l'exemple de la *course*. Courir, en effet, peut supposer une distorsion corporelle se traduisant par des efforts musculaires, un halètement, un essoufflement, et en définitive une angoisse devant l'éloignement du but à atteindre. Surtout si ce but se dérobe, se fait toujours plus inaccessible. C'est un fantasme de type onirique auquel Lautréamont semble particulièrement sensible, comme le montre le passage du *Chant II* (strophe 4) où l'on voit un enfant courir vainement derrière un omnibus qui s'enfuit [1]. Le *leitmotiv* « Il s'enfuit... il s'enfuit » qui ponctue le texte avec une régularité lancinante est déjà significatif en lui-même de la façon dont Lautréamont entend donner à son fantasme une sorte de structure rythmique, mais surtout on est frappé de voir que la souffrance de l'enfant (car il s'agit d'une souffrance bien réelle : « Arrêtez, je vous en supplie ; arrêtez... mes jambes sont gonflées d'avoir marché pendant la journée... ») est liée à cette épuisante tension vers la chose qui fuit et se refuse que lui impose le mouvement même de la course : seule la chute, brutale, rompra cette tension, comme elle brisera la structure récurrente du texte. A noter en outre que la course est ressentie comme un effort pour se porter hors de soi, sortir de soi, et par là même parvenir à une sorte d'« articulation » de l'informe : là encore l'insistante reprise de la phrase : « Mais, une masse informe le poursuit avec acharnement, sur ses traces, au milieu de la poussière » est caractéristique.

Une autre forme de déplacement à laquelle Lautréamont semble avoir été curieusement sensible est la marche dansée. On se souvient de la strophe 2 du *Chant III* où l'on voit « la folle qui passe en dansant [2] ». Elle est poursuivie par des enfants, elle brandit un bâton, perd un soulier en chemin, fait tournoyer sa robe déchirée autour de ses jambes, mais surtout : « Elle va devant soi, comme la feuille du peuplier, emportée, elle, sa jeunesse, ses illusions et son

1. P. 168 s.
2. P. 226.

bonheur passé, qu'elle revoit à travers les brumes d'une intelligence détruite, par le tourbillon des facultés inconscientes. » On admirera ce mouvement tourbillonnant de feuille morte de la démarche de la folle. Lautréamont inscrit l'ivresse de la déraison dans une forme ondoyante, d'autant plus gracieuse en apparence que le corps qui la dessine est pauvre, sale et dégradé. La même situation se rencontre exactement à la strophe 3 du *Chant IV* où l'on nous dit que la mère et l'épouse sadiques qui viennent tourmenter le malheureux pendu s'avancent aussi en dansant : « Mais, voici, que du côté opposé, arrivèrent en dansant deux femmes ivres [1]. » Ivresse, sans doute. Mais autre chose aussi : la titubation et les arabesques qu'elles tracent, la marche dansée sont comme le prélude à l'exercice de la férocité, l'annonce d'on ne sait quelle menace qui, comme dans l'exécution de certaines figures rituelles (danse autour de la victime) cache sa violence sous les dehors d'un balancement nonchalant. Lautréamont aime à suivre du regard (et à retrouver dans son écriture) ce sinueux et redoutable balancement de l'égarement de l'esprit.

Reste la marche tout court, qui n'est pas un des moins intéressants dynamismes du déplacement, dans *les Chants*. Il est apparemment difficile de « fantasmer » sur la marche qui suppose un équilibre, une harmonie, une détente, un certain relâchement des tensions corporelles. Etrangement, Lautréamont opère sur la marche un « dérèglement » qui la charge, elle aussi, d'angoisse. Annonçant au début de la strophe 5 du *Chant II*, sur le ton le plus calme, sa « promenade quotidienne », qui le mène, certains jours, dans « une rue étroite » (mais, bientôt, on lira : « j'enjambais une autre rue »), il ne tarde pas à accélérer le rythme de sa description, en raison de la présence devant lui d'une jeune fille qui hâte le pas. Suit un curieux fantasme de la poursuite : « Si j'allais vite pour la dépasser, elle courait presque pour maintenir la distance égale ; mais, si je ralentissais le pas, pour qu'il y eût un intervalle de chemin assez grand entre elle et moi, elle le ralentissait aussi et y mettait la grâce de l'enfance [2]. » Un jeu peut-être. Mais aussi une façon de « modifier » les dynamismes de la marche comme pour rendre

1. P. 258.
2. P. 171.

physiquement sensibles leurs limites, les refoulements qu'ils portent en eux (marcher est refuser de courir) dans les ambiguïtés (équivoques, agressives, comme toujours chez Lautréamont) de l'accélération et du ralentissement.

Même la marche en rase campagne est une lutte, un effort. Toute une imagerie romantique bien connue est d'ailleurs mise en place par avance pour l'affecter d'un fantastique ténébreux, mais Lautréamont joue, avec une prédilection particulière, des rêveries corporelles qu'elle fait naître : errance, rencontre du vent, fascination de l'espace et de la nuit. Dans la grande strophe 8 du *Chant I* qui s'ouvre par la vision d'un paysage lugubre « au clair de lune, près de la mer, dans les endroits isolés de la campagne », se déploie tout l'espace qu'une marche démente peut balayer : « Et quand je rôde autour des habitations des hommes, pendant les nuits orageuses, les yeux ardents, les cheveux flagellés par le vent des tempêtes, isolé comme une pierre au milieu du chemin, je couvre ma face flétrie, avec un morceau de velours, noir comme la suie qui remplit l'intérieur des cheminées [1]... » Marche *noire*, marche aveugle. Contre le vent. Dans les immenses étendues de la lande que parcourt, comme soulevé du sol, l'éternel rôdeur. Cette prise de possession de l'espace est consubstantielle au personnage maldororien, comme lui sont consubstantiels le vol, la nage, toutes les formes de déplacement. Le *texte*, à tout moment, capte les signes de la rêverie spatiale illimitée de son corps.

Ces exemples, répétons-le, ne peuvent avoir qu'une valeur indicielle. Ils tendent à montrer qu'une exploration systématique de l'imaginaire corporel serait possible chez Lautréamont et que la description des fantasmes mis en jeu (pratiquement à chaque ligne, dans chaque phrase, dans chaque image) serait inépuisable. Il nous paraissait nécessaire de souligner que ces fantasmes — comme l'avait déjà fortement suggéré Bachelard, mais sans les prendre dans toute leur extension textuelle — font partie intégrante de l'univers de Lautréamont. Non point seulement ce qu'on désigne généralement par là : un univers mental et psychique — conscient ou inconscient. Mais le *lieu* où les pulsions obscures du corps se « formulent » dans une écriture.

1. P. 134.

Apollinaire

1. LES LIMITES DU DÉSIR

« La grande force est le désir. » En écrivant ce vers, Apollinaire n'a pas seulement formulé une proposition de portée générale : il a souligné, avec une extrême lucidité, le rôle de l'intervention du désir dans son écriture et dans sa vie. Ce rôle peut aisément être mis en lumière à partir de quelques exemples précis et l'on verra que c'est bien du *désir* au sens le plus strict du terme qu'il s'agit. Mais on ne peut analyser un cas aussi caractérisé d'« érotisation » de l'activité littéraire qu'en définissant d'abord les conditions objectives dans lesquelles s'est exercée cette activité. Il nous semble en effet dangereux de montrer qu'une œuvre est traversée par des tensions subjectives et individuelles d'une force exceptionnelle qui contribuent à lui donner son sens et sa forme, sans montrer qu'elle est *aussi* un produit de l'histoire et de l' « idéologie » de son temps. Et ce souci s'impose particulièrement à propos d'Apollinaire que l'on n'a que trop tendance à décrire comme une « subjectivité » privilégiée — personnalité colorée, originale, riche en contradictions créatrices — et, en même temps, comme le représentant d'une esthétique de type nouveau, suggérant l'idée d'une génération brusque, capricieuse, violente (émerveillante) de la poésie, accomplie, au début de ce siècle, dans la « fête » et l'inattendu. Il s'est donné, lui-même, on le sait, pour le poète de l'*invention* et de la *surprise,* notions qui accréditent l'idée d'un surgissement spontané de l'expérience et de l'écriture poétiques. Si ce surgissement existe, il est bien certain que le désir y a, fondamentalement, sa place. Mais précisément il n'est pas tout. Définir et cerner le lieu du désir, c'est commencer par en tracer les limites — c'est-à-dire voir en quoi une œuvre lui échappe — les zones dans lesquelles elle se constitue hors de lui, les structures qui ne lui sont pas réductibles. Pour cela il est bon de placer d'abord l'œuvre d'Apollinaire dans le champ de l'histoire. Il nous a semblé intéressant de le faire, pour rendre perceptible justement en elle ce qu'on pourrait appeler l'envers de la subjectivité et rappeler qu'elle s'est développée, comme toutes les œuvres littéraires, à partir d'une idéologie déjà constituée : en l'occurrence, l'idéologie extrêmement caractéristique de l'époque où elle a été produite, l'époque 1890-1918. Nous essaierons de le montrer en nous situant à trois niveaux : le « discours » cosmopolite, l'idéologie futuriste, les « aliénations » de la guerre.

I. LE « DISCOURS » COSMOPOLITE.

Il est perceptible dans l'ensemble de l'œuvre d'Apollinaire, mais sa présence se décèle surtout dans les textes de la période 1910-1913 avec *l'Hérésiarque et Cie* et *Alcools*. Il s'explique en grande partie par la conscience qu'Apollinaire a de ses propres origines et le double mouvement de revendication-refus par lequel il les assume : thème, vécu tantôt dans le malaise tantôt dans le triomphe, du *bâtard* et du *métèque*. Mais il est aussi l'expression (et l'intériorisation tout ensemble) d'un système, extrêmement prégnant et agissant, de représentations socio-culturelles de l'époque : mythe de l'*étranger*, de l'*apatride*, de l'*émigrant*, soutenu par le développement des campagnes nationalistes, xénophobes, antisémites. Lorsque paraît *Alcools* en 1913, Georges Duhamel écrit dans *le Mercure de France* : « Rien ne fait plus penser à une boutique de brocanteur que ce recueil de vers publié par M. Guillaume Apollinaire sous un titre à la fois simple et mystérieux : *Alcools*. Je dis : boutique de brocanteur, parce qu'il est venu échouer dans ce taudis une foule d'objets hétéroclites dont certains ont de la valeur, mais dont aucun n'est le produit de l'industrie du marchand même. C'est bien là une des caractéristiques de la brocante : elle revend, elle ne fabrique pas. Elle revend d'ailleurs parfois de curieuses choses ; il se peut qu'on trouve, dans ses étalages crasseux, une pièce de prix montée sur un clou. Tout cela vient de loin, mais la pierre est agréable à voir. Pour le reste, c'est un assemblage de faux tableaux, de vêtements exotiques et rapiécés, d'accessoires de bicyclettes et d'instruments d'hygiène privée. Une truculente et étourdissante variété tient lieu d'art, dans l'assemblage des objets. C'est à peine si, par les trous d'une chasuble miteuse, on perçoit le regard ironique et candide du marchand, qui tient à la fois du juif levantin, de l'Américain du Sud, du gentilhomme polonais et du facchino [1]. » Ce texte est un document extraordinairement révélateur, non seulement par la mentalité critique équivoque qu'il illustre, mais surtout parce qu'il conclut, pour qui sait le lire, à une *structure* de l'œuvre à partir d'un ensemble de présupposés liés aux représentations idéologiques dont nous parlions tout à l'heure : toutes présentes ici, y compris celles de type ouvertement raciste, aisément décelables dans la première phrase. Il en résulte un système de connotations délibérément dépréciantes : brocante, étalage crasseux, faux tableaux, vêtements rapiécés, instruments d'hygiène privée, etc., mais surtout l'affirmation d'une logique selon laquelle le cosmopolitisme d'Apollinaire ne pouvait produire autre chose que cette confusion hétéroclite, à cette concession près que là peut-être, sans doute même, est l'originalité du livre.

Or, ce cosmopolitisme dans lequel on l'enferme, Apollinaire ne le récuse pas. Il l'assume au contraire avec une extrême complaisance. Il entre dans le jeu de l'exotisme qui lui est assigné et peuple ses poèmes comme ses récits de toute une mythologie de tziganes, bohémiens, allemands, juifs, cosaques, etc., à laquelle il intègre ses propres fantasmes généalogiques, prenant en charge dans son œuvre toutes les formes de ce que Barrès appelle à la même époque le *déracinement* et développant une « contre-idéologie » poétique qui s'oppose moins à l'idéologie nationaliste dominante d'alors qu'elle n'en est le reflet renversé. A la limite, cela va jusqu'à l'intégration de tous les stéréotypes « marginaux » dont le début du siècle est prodigue : prostituées, trafiquants, souteneurs, marins en bordée (tels que les représente, au même moment et pour les mêmes raisons, la poésie de Blaise Cendrars), ou : saltimbanques, baladins, clowns, « gens du voyage » (tels que les peintres d'alors en fixent volontiers l'image). Mais le discours cosmopolite

1. *Mercure de France*, 16 juin 1913.

ne s'inscrit pas dans l'œuvre d'Apollinaire seulement selon les catégories du pittoresque ou du folklorique. Il s'y inscrit aussi en profondeur, au niveau d'une thématique si intériorisée qu'elle « informe » une écriture et un langage nouveaux. Si l'on considère la dernière partie de *Zone* :

> Tu regardes les yeux pleins de larmes les pauvres émigrants

et qu'on la compare avec la première version du poème et les brouillons manuscrits des mêmes morceaux, on s'aperçoit que, dans ce très beau texte, Apollinaire a précisément gommé tout ce qu'il pouvait y avoir de systématique et d'expressionniste dans le cosmopolitisme de son inspiration pour ne garder qu'une structure énumérative, un rythme descriptif où les images du déracinement prennent valeur de signes et de formes : scène fortement cadrée des femmes allaitant leurs enfants dans le hall de la gare Saint-Lazare, famille transportant un *édredon rouge*, inscription de noms — rue des Rosiers, rue des Ecouffes —, image des femmes juives portant perruque, exsangues au fond de leur boutique. Dans des poèmes comme *le Voyageur, l'Emigrant de Landor Road,* et sans doute *la Chanson du Mal-Aimé* elle-même, le même phénomène se produit d'une manière plus « filtrée », plus épurée encore : le thème de l'exil, de l'absence, du voyage, y est moins transmis par un message figuratif que par la médiation de figures — ruptures, syncopes, reprises, récurrences, étoilement du texte, figures du discontinu — qui dessinent une certaine écriture poétique. Ainsi, le discours cosmopolite repris par Apollinaire à son époque, devient le « générateur » d'un langage nouveau et reste lisible dans l'œuvre au moment même où il cesse d'y être idéologiquement déchiffrable.

II. L'IDÉOLOGIE FUTURISTE.

Autre intervention idéologique sur l'œuvre d'Apollinaire : celle du futurisme. Il faut bien voir ici que le futurisme, dans toutes ses versions européennes, avec Marinetti en Italie, Maïakovski en Russie, est l'expression avancée, en art, de la charge explosive de mutations et de contradictions qui marque cette époque. Nous pouvons à ce sujet nous appuyer sur un texte important de Trotsky : « Le futurisme a été le reflet en art de la période historique qui a commencé au milieu des années 1890 et qui s'est achevée directement dans la guerre mondiale. La société capitaliste avait connu deux décennies d'un essor économique sans précédent qui avait jeté bas les vieilles idées qu'on se faisait de la richesse et de la puissance, élaboré de nouvelles échelles, de nouveaux critères du possible et de l'impossible, tiré les gens de leur apathie douillette pour les pousser à de nouvelles audaces. Cependant les milieux officiels continuaient à vivre suivant les automatismes de la veille. La paix armée avec ses emplâtres diplomatiques, le système parlementaire vide, la politique intérieure et extérieure basée sur un système de soupapes de sûreté et de freins, tout cela pesait lourdement sur la poésie à un moment où l'air chargé d'électricité donnait le signe de grandes explosions imminentes. Le futurisme en a été le signe prémonitoire en art [1]. »

Cette analyse permet de « situer » la poésie d'Apollinaire en relation avec les tensions et les contradictions idéologiques qu'implique l'idée d'un art nouveau. Ce que Trotsky appelle fort justement « de nouveaux critères du possible et de l'impossible » éclaire le sens dialectique du couple *tradition-invention* dans son œuvre et l'interrogation insistante qu'il adresse à toutes les formes de la *modernité* (soit sur le mode de l'angoisse, soit sur celui de la confiance « messianique »). La notion d'*antitradition* s'appuie chez lui sur la conscience effectivement « prémonitoire » d'un art capable de faire « flamber l'avenir » et « apparaître le temps de la magie », surgir des « milliards de prodiges » et la « grande force » du désir, en tirant des *moteurs* nouveaux du double mouvement de *destruction* et de *construction* qui est (avec quelle violence), celui même de l'histoire et de la civilisation de son temps. C'est, à la limite, une idéologie de la *suppression de l'histoire* (ce qui est dit en toutes lettres dans le *Manifeste-synthèse* de *l'Antitradition futuriste*), au profit d'une inscription systématique sur la page ainsi laissée blanche de tous les *signes* « des grandes explosions imminentes ». Et l'on sait, pour en rappeler quelques-uns, qu'ils se distribuent par exemple en :

1. Trotsky, « Le futurisme » in *Littérature et Révolution*, éd. Julliard, p. 112.

1. *Techniques sans cesse renouvelées ou rythmes,* comme :
Littérature pure Mots en liberté Invention de mots
. . .
Description anamatopeïque
Musique totale et Art des bruits
Mimique universelle et art des lumières
Machinisme Tour Eiffel Brooklyn et gratte-ciels
Polyglottisme
. . .

(où l'on retrouve l'insertion dans la modernité du « discours cosmopolite »)

. . .
Nomadisme épique exploratorisme urbain Art des voyages et des promenades
. . .

2. En expressions de la triade *Intuition vitesse ubiquité,* comme :
Livre ou vie captivée ou phonocinématographie ou Imagination sans fils
. . .
Langage véloce caractéristique impressionnant chanté sifflé mimé dansé marché couru
. . .
Matière ou transcendantalisme physique
. . .

ce qui donne suffisamment l'idée de l'*écriture* nouvelle ainsi instituée, dont les données sont d'autant moins précises que le langage « futuriste » s'invente dans la fantaisie et le jeu des mots, la provocation verbale, mais dont on voit bien que le support est une nouvelle *technicité.* Apollinaire en posera le principe dans *l'Esprit nouveau*, quand il dira que « les poètes veulent enfin, un jour, machiner la poésie comme on a machiné le monde ». Technicité — présente dans tout un ordre de recherches effectivement « machinatrices » qui vont de Jarry au surréalisme — dont les racines sont bien évidemment dans les infrastructures mêmes de la « modernité » : essor économique entraînant de nouvelles formes de communication, de « déplacement », et des rapports nouveaux avec la vitesse (transports nouveaux, véhicules nouveaux, rythmes nouveaux, trains, paquebots, avions, tramways, automobiles, bicyclettes), conquêtes de marchés coloniaux impliquant un nouvel aménagement de l'espace et du temps (voyages intercontinentaux), développement de moyens d'expression nouveaux (phonographe, gramophone, cinéma), constitution d'un nouveau paysage urbain (utilisation de matériaux nouveaux : verre, céramique, fer, floraison de ce qu'Apollinaire appelle si bien « les roses de l'électricité », art décoratif nouveau, modern style, tour Eiffel, etc.).

La traduction « scripturale » de tout cela dans l'œuvre d'Apollinaire est un fait trop connu pour qu'on y insiste. Mais il importe de voir que, là encore, les choses ne se limitent pas à la mise en œuvre d'une thématique de la modernité, comme dans *Zone*, ni même à une « technicité » de l'écriture homologue de celle du monde réel qu'elle tend à représenter, comme le veut le *calligraphisme* ornemental d'Apollinaire, mais qu'il s'agit de la production d'une *forme-sens* dont les manifestations traversent l'œuvre tout entière.

III. LES ALIÉNATIONS DE LA GUERRE.

Il existe un troisième aspect de la poésie d'Apollinaire qui se trouve placé sous la dépendance d'une idéologie : celui où intervient le thème de la guerre. On y insiste en général fort peu, comme s'il était parfaitement normal qu'Apollinaire ait vécu la guerre de 1914-1918 comme une source d'exaltation poétique et ait perçu les épisodes les plus meurtriers des batailles des tranchées comme un immense arsenal de couleurs et de feux. En réalité le célèbre *Ah Dieu, que la guerre est jolie !* n'est pas seulement l'expression d'une conception « esthétique » de la guerre, il est la traduction de l'aliénation profonde d'Apollinaire en face d'une réalité dont il ne paraît jamais comprendre la signification réelle et prendre l'exacte mesure. Aliénation qui peut prendre la forme très personnelle, très individualisée (et en un sens, anecdotique) d'une *mystification* acceptée, consentie, revendiquée dans la bonne humeur d'une forfanterie un peu niaise — le mythe apollinarien de l'artilleur, puis de l'artilleur blessé, de l'artilleur au bandage, de la « tête étoilée », — mais qui est d'abord l'aliénation de toute une époque. A cet égard, il n'y a aucune différence de nature entre l'euphorie officielle volontairement entretenue à l'égard de la guerre, telle que Barrès, dans ses *Chroniques*, la répercute et l'amplifie jusqu'à la caricature, et celle dont Apollinaire se fait le « chantre » (assumant, d'ailleurs, en permission comme sur le front, dans ses lettres comme dans ses écrits littéraires, tous les comportements du soldat français moyen, y compris certains traits caractériels que l'on pourrait croire d'un grossier schématisme). Simplement, Apollinaire donne à cette expérience le prodigieux alibi d'un langage poétique sans équivalent. Car son génie est d'avoir su rendre parfaitement cohérente et vraisemblable la relation qui peut s'établir entre la guerre et la poésie, en particulier par le recours à deux formes de médiation dans lesquelles il se sent en accord personnel avec des mythes universels : le sacré et l'érotique. La sacralisation des choses de la guerre correspond chez lui à une ivresse lyrique où le délire de la parole se combine à un sens aigu de l' « imagerie » des batailles et du merveilleux qu'elle suscite [1]. Leur érotisation est liée, comme le montrent admirablement les *Poèmes* et certaines *Lettres à Lou,* aux sollicitations profondes de sa nature dont les pulsions sado-masochistes sont une composante fondamentale, en même temps qu'à un certain type de « rêverie matérielle » particulièrement active sur les armes, les tirs, les objets de la guerre, leur forme, leur puissance. Dans les deux cas, l'aliénation est parfaitement servie, portée, illustrée, justifiée par tout un apparat poétique qui la fonde d'autant mieux qu'il est d'une grande beauté formelle et d'une extrême richesse (violence) psychique.

Mais, une fois encore, cela va jusqu'à une écriture. Car, si l'on relit *Case d'Armons, Lueurs des tirs, Obus couleur de lune* ou *la Tête étoilée*, on s'aperçoit que la thématique de la guerre a un pouvoir véritablement *traçant* dans la poésie d'Apollinaire. Les lignes des tranchées, la trajectoire des obus, la portée des tirs, l'arabesque des fusées, les traînées de comètes des explosifs, le jaillissement des « douilles éclatantes » sont un réseau de signes qui *écrivent* littéralement son texte. Et on pourrait en dire autant de toutes les images de nuit illuminée, de constellations, d'astres, d'embrasement, d'apothéose, qui fixent sa vision féerique de la guerre.

1. Cf. Jean Roudaut, « Le temps et l'espace sacré dans la poésie d'Apollinaire », in *Critique,* août-septembre 1958.

A cet égard, un poème comme *Merveille de la guerre* est tout à fait significatif : il est l'expression parfaite d'une certaine aliénation (qui n'est pas seulement celle d'Apollinaire, mais de toute une littérature qu'on appelle précisément « de guerre ») et il est en même temps un des textes du poète les mieux *tracés*, cadrés, tendus (mis en tension) dans un espace linguistique homologue de l'espace même de la bataille et représentatif de celui où le poète tente désespérément d'inscrire son « ubiquité » *(« au zénith au nadir aux quatre points cardinaux »)* :

> Que c'est beau ces fusées qui illuminent la nuit
> Elles montent sur leur propre cime et se penchent
> pour regarder
> . . . .
> C'est aussi l'apothéose quotidienne de toutes mes
> Bérénices dont les chevelures sont devenues des
> comètes
> . . . .
> Comme c'est beau toutes ces fusées
> . . . .
> Il me semble assister à un grand festin éclairé a giorno
> C'est un banquet que s'offre la terre
> Elle a faim et ouvre de longues bouches pâles
> . . . .
> Mais j'ai coulé dans la douceur de cette guerre avec
> toute ma compagnie au long des longs boyaux
> . . . .
> Je suis dans la tranchée de première ligne et cependant
> je suis partout ou plutôt je commence à être partout
> . . . .

Ainsi, on le voit, mise en rapport avec cette réalité historique têtue qu'est la guerre de 14-18, la poésie d'Apollinaire se présente comme une langue tout imprégnée d'idéologie, même si sa « nouveauté » réside précisément dans l'écart qui sépare sa liberté créatrice de cette base idéologique. Dans ce cas, comme dans les précédents, l'affleurement de l' « histoire » est manifeste. Il ne doit pas être masqué par des *effets* qui, pris en eux-mêmes, ne relèveraient plus que de « l'idéologie poétique ».

2. UNE ÉROTIQUE DE L'ÉCRITURE

Le point de départ, lorsqu'on s'engage dans une réflexion sur le *désir* apollinarien, pourrait être les derniers vers de *1909* dans *Alcools* :

> Cette femme était si belle
> Qu'elle me faisait peur

La peur qu'Apollinaire exprime ici, il n'a jamais cessé de la ressentir. Elle n'est pas seulement un mouvement de défense contre le caractère offensif de toute vraie beauté, elle est aussi un affolement panique devant le mystère du corps féminin, une perte de conscience devant les vertiges pressentis de l'amour fou, une angoisse obscure qu'il importe de conjurer par une *parole*. Et sans doute la parole organisée dans le poème qui nomme, décrit, dénonce l'amour et la beauté le plus haut et avec le plus de précision possible est-elle le meilleur des exorcismes. Cependant il en existe d'autres.

D'abord la « rigolade ». Elle est tout à fait dans le tempérament d'Apollinaire chez qui l'incongruité devient si facilement la fleur de la pudeur la plus exquise. On connaît cette « dame de mes pensées au cul de perle fine », ce « cœur aussi gros qu'un cul de dame damascène » qui recèlent tant de délicatesse, ces « vulves des papesses », ces « groin de cochon, cul de jument » qui pour être mis dans les rêves de *l'Ermite* ou dans la bouche des cosaques Zaporogues n'en sont pas moins les messagers de la tendresse, pleine de blasphèmes et de jurons, du poète. Apollinaire — ses contemporains, ses amis l'ont dit — avait un très gros rire. Or la *blague* pour lui, c'est justement cela : un rire qui roule, bouscule et emporte des images et des pensées obscurément menaçantes qu'il faut brutaliser et déconsidérer si l'on veut vaincre leur fixité érotique ou leur déchirante violence.

Ce qui frappe en effet dans le libertinage tel que le conçoit Apollinaire, c'est son aspect farceur. Le libertin de bonne race — conforme, si l'on veut, à une tradition qui va de Laclos à Vailland

— est d'abord un homme qui ne plaisante pas : son regard froid est le garant du sérieux de son entreprise. S'il lui advenait de rire ou de s'abandonner à la farce (le seul qui y consente est Casanova et ce n'est pas pour rien qu'Apollinaire s'est intéressé à lui jusqu'à lui consacrer une comédie parodique), c'en serait fait de son sang-froid et de sa lucidité, donc de lui-même. Au contraire le poète d'*Alcools*, quel que soit son goût de Sade, de Nerciat et de l'Enfer de la Bibliothèque nationale, semble chercher avant toute chose une occasion d'énorme et naïf amusement dans l'érotisme le plus délibéré, et sa curiosité intempérante dans ce domaine ne saurait en faire le type de l'amateur blasé. Il est fort probable qu'amusement et curiosité ne sont qu'un masque. Mais il n'est pas visible à l'œil nu. Et l'on conçoit qu'au regard de ses contemporains Apollinaire ait pu passer moins pour un libertin que pour un pornographe : c'est, rappelons-le, comme un pornographe et un « métèque » que le présentait en 1911 dans *l'Œuvre*, Urbain Gohier, un de ses plus vils calomniateurs. Certes, c'est pour des raisons strictement économiques qu'entre sa vingtième et sa trentième année il a été amené à écrire et à publier sous le manteau des romans érotiques comme *Mirely ou le Petit Trou pas cher, les Onze mille verges* ou *les Mémoires d'un jeune Don Juan* (œuvres où d'ailleurs l'outrance, le sens de l'exploit amoureux est une forme d'inspiration poétique et fantastique [1]). Il n'en est pas moins vrai que chez lui la « gaillardise » semble être une dominante du caractère autrement forte que la maîtrise de soi ou le contrôle des émotions. Même dans la suite de préfaces qu'il écrivit pour la collection « Les Maîtres de l'amour » et la « Bibliothèque des Curieux » éditées par les frères Briffaut, on sent bien, que, si vives que soient sa curiosité de Nerciat ou son intelligence de Sade, sa verve est plus spontanément excitée par les joyeusetés de l'Arétin et du Baffo ou par les tableaux de mœurs de John Cleland [2].

D'ailleurs il est sensible à tout ce qui entoure l'amour d'un halo de truanderie romantique. Les rues, les bouges, les bars, les « cafés gonflés de fumée » sont le décor d'un cérémonial quotidien où l'amour fou se désacralise en devenant l'amour « voyou ». C'est

1. Voir, à ce sujet, en appendice : *Sur deux romans d'Apollinaire.*
2. Textes rassemblés par Michel Décaudin dans *les Diables amoureux*, éd. Gallimard.

un monde où l'on baisse « les yeux de honte » et le mal aimé qui le parcourt y découvre une pédagogie érotique nouvelle dans des images noyées de brouillard ou hautes en couleurs provocantes. C'est la Cologne de Marizibill, ce sont les « becs de gaz allumés » de *Lundi rue Christine*, un étrange univers où les hommes sont des juifs cosmopolites, des « maquereaux roux et roses », les femmes des tziganes, des bohémiennes, des serveuses rousses, de poignantes femelles.

J'aimais les femmes atroces dans les quartiers énormes

Ce vers que Rimbaud aurait pu écrire nous rend sensibles toute la démesure amoureuse qu'il y a dans ce vertige de la rue peuplée de fantasmes, toute la bonté (puisque justement pour Apollinaire la bonté est aussi une contrée qui mérite, comme ces quartiers, le qualificatif d'*énorme*) mystérieuse qui se cache dans les étourdissements du trottoir. Comment oublier qu'Apollinaire est l'auteur de ce vers

Regret des yeux de la putain

et que s'il a pu l'écrire, c'est que le mot « putain » a dans sa langue une qualité poétique que le bon usage lui reconnaît rarement, faute de respect et de tendresse. Pourtant ce n'est ni le respect ni la tendresse qu'Apollinaire cherche dans tout cela. C'est une moiteur, une tiédeur, une touffeur suspectes où la fièvre érotique se dilue dans le pittoresque, une brume où les angles vifs de l'amour s'arrondissent, un rythme à mi-chemin de la chanson égrillarde et de la complainte populaire propre à endormir la conscience et à la rendre doucement opaque. Il ne s'agit pas à proprement parler d'une fuite, mais bien d'une débandade mélancolique où *Eros* s'affuble de toutes sortes de masques exotiques, cosmopolites, cyniques ou truculents pour ne pas montrer son vrai visage. C'est la revanche — et en même temps le triomphe — du « faux amour confondu » non seulement avec l'image d'une femme qui s'éloigne mais avec tous les rêves, toutes les obsessions, toutes les nostalgies, toutes les angoisses de l'impossible accomplissement.

Il est un autre exorcisme. Celui de l'agressivité et de la bravade. Apollinaire a toujours eu un côté « faraud » que l'expérience de la vie militaire et de la guerre devait merveilleusement développer.

On connaît la manière dont il en use avec les femmes (assiduité intempérante, cour à la hussarde, verdeur de langage et conquête résolue par le verbe à défaut de conquête par le corps). A vingt-deux ans il donne l'assaut à Annie Playden dont il bouscule sans égards le puritanisme britannique. A trente-cinq ans, rejoignant son régiment, il « entreprend » Madeleine Pagès — jeune fille oranaise rencontrée dans un compartiment de chemin de fer entre Nice et Marseille — avec tant d'entrain qu'il nouera avec elle des relations épistolaires qui prennent vite l'allure d'une activité érotique par correspondance. Brutalité, franchise dans l'attaque, goût des sièges rapides, tout le prédispose à être un brillant soldat. Et quand il le devient effectivement, il est tout surpris et béatement admiratif de voir à quel point la guerre ressemble à l'amour. Il le dit sans ambages dans *Calligrammes* et dans nombre des *Poèmes à Lou* ou *à Madeleine* : la guerre « accomplit le terrible amour des peuples ». Elle est une mêlée, un assaut, un corps à corps furieux où tout prend valeur et proportion de symbole érotique : la « forme obscène des canons », les pièces contre avions érigées « comme les virilités des héros fabuleux », les obus comparables à des « seins durs », la tranchée « au corps creux et blanc » qui est comme un sexe de femme qu'il faut pénétrer. Le *poème secret* adressé à Madeleine le 7 décembre 1915 et le *Chant d'amour* de *Calligrammes* (où sont repris les mêmes thèmes) sont les sommets de cette inspiration érotico-guerrière où l'empoignade des hommes apparaît comme un formidable rut et le feu de salve de l'artillerie comme une festivité phallique permanente. On conçoit donc qu'Apollinaire, artilleur et canonnier, se soit senti à l'aise au combat. En lui s'épanouit non seulement une aptitude singulière à la gloriole, mais une sourde ivresse. Une dilatation de tout son être s'accomplit qui le met à l'unisson de l'amour universel. Il entend à travers « les tonnerres de l'artillerie » le bruit « des baisers éperons des amants illustres », les « cris d'amour des mortelles violées par les dieux », les « cris d'amour des félins dans les jongles », la « rumeur sourde des sèves montant dans les plantes tropicales », bref le « chant symphonique de l'amour » du monde. Et dans ce concert païen, dans ce délire ancestral où les dieux de l'amour et ceux de la guerre font bon ménage, il se retrouve. Tel qu'en lui-même le changent son impatience, son avidité, son désir, ses appétits et ses frustrations de soldat privé de femme, livré tout entier aux élans et à la gloire de son imagination. Un Guillaume Apollinaire plus vrai, plus viril, plus conquérant que nature. « Les artilleurs vigoureux qui dans leur caserne rentrent », écrit-il dans le huitième *Poème à Lou* : c'est bien cela qu'il conquiert, une *vigueur* multipliée aussi bien lyrique qu'érotique. A la lueur des tirs, sous les trajectoires des obus couleur de lune, se réalise symboliquement et frénétiquement cette vie des sens qu'il n'a cessé d'appeler de toute sa fougue. Et à ces sens qui sont des « chevaux » comme il le dit à Lou, il lâche la bride. Mais les exaltant, les libérant, célébrant leur puissance et leur violence, il n'oublie jamais ce qu'ils couvrent, ce qu'ils masquent, ce qu'ils étouffent. Le poème d'ouverture de *Calligrammes* nous le rappelle expressément :

> J'écris seulement pour vous exalter
> O sens, ô sens chéris
> Ennemis du souvenir
> Ennemis du désir
> Ennemis du regret
> Ennemis des larmes
> Ennemis de tout ce que j'aime encore

C'est qu'au fond de l'érotique d'Apollinaire se cache une recherche de l'innocence. Elle est manifeste dans un certain nombre d'images qui, pour être d'une grâce insolite, fortuite, parfois détonante, dans sa poésie, n'en expriment pas moins au moment le plus inattendu la nostalgie d'un monde au paganisme non plus bouillant et tumultueux mais follement agreste, joyeusement naïf. Un monde transparent et lavé de toute fausse pudeur où

> Sur l'herbe où le jour s'exténue
> L'arlequine s'est mise nue
> Et dans l'étang mire son corps

un paradis bucolique où

> Mars et Vénus sont revenus
> Ils s'embrassent à bouches folles
> Devant des sites ingénus
> Où sous les roses qui feuillolent
> De beaux dieux roses dansent nus

Cet univers *ingénu*, rose, champêtre, tendrement charnel, n'est pas celui de la chasteté, ni même de la pureté. Il est celui de l'innocence rendue au sexe.

Comme un poupon chéri mon sexe est innocent

dit le poète, et dans la naïve indécence de ce vers, dans l'obscure régression vers l'enfance qu'il traduit il y a comme une tendresse un peu grosse et penaude devant la « puérilité » perdue de l'amour. Les morceaux ne manquent pas dans l'œuvre poétique d'Apollinaire où le langage de l'amour est un langage de l'enfance : les poèmes inspirés par Marie Laurencin, femme-enfant par excellence, image de la « petite fille » avec ses cheveux moutonnants, ces paysages de neige sur lesquels elle semble se découper, ces airs de danse qui l'accompagnent, en fourniraient maints exemples. Et l'on sait par André Rouveyre quelle était l'extraordinaire sensibilité érotique de Guillaume à la *jeune fille* : « Les jeunes filles étaient quasi exclusivement la catégorie féminine qui surtout l'enchantait. Là son idéal trouvait son vrai objet ; vers elles allait son meilleur élan : Mia, Mareye, Yette, Lorie, Annie et toi Marie [1]... » C'est que la jeune fille réalise un type féminin où la sensualité et l'innocence justement s'équilibrent. Elle fait naître un désir de possession et en même temps le condamne. Elle attire et décourage à la fois. Elle est pure et impure. Elle est par définition ambiguë : enfant dans le passé et femme dans l'avenir. Cette contradiction fondamentale s'abolira dans une union à la fois innocente et heureuse. C'est le thème des *fiançailles* qui revient si souvent dans l'œuvre d'Apollinaire (*les Fiançailles ; la Maison des morts* : « Voici le gage de mon amour/De nos fiançailles » ; le *Poème lu au mariage d'André Salmon* ; et aussi l'atmosphère d'idylle rustique qui enveloppe si souvent *le Poète assassiné*). Et l'on voit alors de quelle finesse de cœur est capable l'artilleur fier-à-bras. Il est celui qui a choisi pour devise *Vitam impendere amori* et il suffit de lire dans le recueil qui porte ce titre un poème comme celui-ci (un des plus beaux peut-être qu'Apollinaire ait écrits) :

1. André Rouveyre, *Amour et Poésie de Guillaume Apollinaire*, éd. du Seuil.

Tu descendais dans l'eau si claire
Je me noyais dans ton regard
Le soldat passe elle se penche
Se détourne et casse une branche

Tu flottes sur l'onde nocturne
La flamme est mon cœur renversé
Couleur de l'écaille du peigne
Que reflète l'eau qui te baigne

pour comprendre avec quelle exigeante pureté, quelle retenue dans l'émotion, quelle immatérielle délicatesse des sens il peut « approcher » l'image de la femme.

Mais de tels instants ont quelque chose d'irrémédiablement fragile et vulnérable. A peine a-t-il entrevu le visage du pur amour, Apollinaire en pressent l'aspect maléfique. L'envers de l'innocence, c'est le sortilège. Au moment de la plus heureuse confiance, il se coule dans nos veines, « poison doux et chaste » comme l'opium que buvait Thomas de Quincey en rêvant à sa pauvre Anne. Il y a dans la poésie d'Apollinaire un faisceau d'images douces et insidieuses qui semblent dénoncer inlassablement le côté vénéneux de tout amour : le mauve, la teinte du lilas *(le colchique couleur de cerne et de lilas)* y domine, mais la pâleur y règne aussi (les yeux sont *pâles*, les amants sont *pâles*, les corps *blancs*), les choses y ont une *couleur de lune*, les plantes y prennent des formes et des nuances étranges *(voici le tétin rose de l'euphorbe verruqué)*, des animaux humides y vivent comme le poulpe familier du bestiaire d'Apollinaire *(jetant son encre vers les cieux/suçant le sang de ce qu'il aime)*. Cette conscience obscure des lents empoisonnements que réserve l'amour, des charmes capiteux qu'il recèle, de ce qu'il a au plus fort de son intensité d'irréductiblement *faux* et mortel — et bien sûr c'est le « mal aimé » qui parle ! — trouve une expression particulière dans le thème de la sorcière, de la sirène, de la magicienne. La *Lorelei*, l'ensorceleuse blonde de la légende germanique, en est sans doute l'illustration la plus saisissante, avec le cortège de maléfices qui traverse ses « yeux couleur de Rhin » et ses « cheveux de soleil », mais il y a aussi ces Circé, ces Lilith qui côtoient des cartomanciennes, des femmes-saltimbanques dans nombre de vers d'*Alcools*, et au fond des rêves de l'*Ermite* on voit passer « des poétesses nues des fées des fornarines ». Il arrive que l'univers entier soit marqué d'un *sortilège* où l'amour est signe d'une antique et sanglante malédiction : le poème d'*Alcools* qui évoque les enchantements de Merlin s'ouvre par l'image d'un ciel apocalyptique où le soleil saigne « comme un ventre maternel », où « les nuages coulaient comme un flux menstruel ».

Il faut donc revenir à l'idée d'exorcisme. Le dernier recours d'Apollinaire contre l'angoisse de l'innocence perdue et contre les maléfices de l'amour sera une sorte de prière érotique où le corps féminin se trouve à la fois magnifié et impitoyablement mis à nu. On connaît la tradition poétique du blason du corps : Apollinaire la reprend à son compte en la chargeant d'un contenu si riche qu'au-delà du rituel propitiatoire on y découvre une véritable intention de possession amoureuse par la parole. Naturellement cela s'explique parfaitement par la distance qui sépare l'amant de l'objet de son désir puisqu'il s'agit presque toujours de textes écrits « aux armées » reflétant un éloignement, une privation et ayant valeur expresse de correspondance intime : *Poèmes à Lou* et *Poèmes secrets à Madeleine* essentiellement. Mais il faut y voir aussi une volonté de *clairvoyance* : traquer, décrire, ce qui ne peut être éternellement fui, masqué ou noyé dans le trouble, mais doit être enfin regardé en face et *fixé*. Aussi la prière érotique prendra-t-elle spontanément la forme d'une énumération descriptive. Seins, hanches, croupe, toison, tout est dit, nommé, avec une insistance lyrique, une précision dans la métaphore qui exclut toute dérobade de l'imagination en même temps que toute pudeur. Plus la chose est énoncée avec vérité et franchise, plus fortement s'affirme l'acte d'amour qui porte et « informe » le langage. Il ne s'agit donc pas du blason précieux qui se veut pur exercice, mais véritablement d'une forme active de connaissance, l'équivalence d'une découverte, d'une exploration, d'un geste de caresse. Apollinaire le sait bien, qui non seulement désigne et énumère, mais cherche à pousser toujours plus avant ce déchiffrement d'un mystère. Le *Deuxième Poème secret* à Madeleine donne l'exemple de cette avidité scrutatrice qui ne laisse dans l'ombre aucun des détails du corps révélé et s'applique avec une obstination presque délirante à les isoler l'un après l'autre, depuis ceux qui rehaussent le visage —

« arc double des sourcils merveilleuse écriture », « beaux cils antagonistes antennes du plaisir fléchettes de la volupté » — jusqu'à ceux qui se cachent dans les zones les plus secrètes : « stalactites des grottes ombreuses où mon imagination erre avec délices », « touffes vous n'êtes pas l'ache qui donne le rire sardonique et fait mourir », « aisselles dont la mousse retient pour l'exhaler les plus doux parfums de tous les printemps ». Tout un mouvement de pénétration, obscur et pressant, pousse Apollinaire à s'enfoncer, se noyer, se perdre toujours davantage, dans un monde chaud, humide, touffu qui a pour lui l'équivoque et attirante beauté des profondeurs sous-marines : « O jardin sous-marin d'algues de coraux et d'oursins et des désirs arborescents. »

On voit quelle forme particulière de lyrisme utilise le poète. Pour que l'énumération des qualités du corps féminin ne tombe ni dans le scabreux ni dans l'indécence anatomique, il faut bien qu'elle soit soutenue par une langue érotique d'une exceptionnelle abondance métaphorique. Cette langue est une langue de célébration et de cantique. Elle implique une attitude d'adoration. Marie-Jeanne Durry a parfaitement raison de parler d'une « énumération idolâtre [1] ». Mais l'idolâtrie païenne que voue Apollinaire au corps de Lou ou de Madeleine est tout imprégnée de poésie biblique, au moins dans son langage. Ces seins qui « ont le goût pâle des kakis et des figues de barbarie », ces hanches étrangement appelées « fruits confits », cette chevelure comparée à des « grappes de raisins noirs », sont la parole même de Salomon, le langage du Cantique des Cantiques. De même que les incessantes et audacieuses comparaisons empruntées au monde végétal ou animal (« Vous êtes l'ellébore qui affole vous êtes la vanille qui grimpe » ou : « La vulve des juments est rose comme la tienne »). C'est parce qu'il est nourri d'images que l'éternel dialogue de l'Epoux et de l'Epouse dans ce qu'il a de plus intime atteint à une exceptionnelle ivresse du langage. Cette ivresse revêt parfois un caractère authentiquement mystique et Apollinaire ne le dissimule pas, lorsqu'il chante :

1. Marie-Jeanne Durry, *Alcools de Guillaume Apollinaire,* éd. SEDES, t. II, p. 99.

> Et justement un ver luisant palpite
> Sous l'étoile nommée Lou
> Et c'est de mon amour le corps spirituel
> Et terrestre
> Et l'âme mystique
> Et céleste

ou lorsqu'il écrit :

> J'adore ta toison qui est le parfait triangle
> De la Divinité

mais justement comme l'exprime le début de cette suite de vers, c'est une conscience « adorante » qui s'y révèle surtout. Quand Guillaume clame ailleurs avec un élan d'une extraordinaire beauté :

> Je t'adore mon Lou et par moi tout t'adore

ou :

> Mon Lou je veux te reparler maintenant de l'Amour
> Il monte dans mon cœur comme le soleil sur le jour

il est certain que son chant d'amour a la force jaillissante d'une oraison. L'adoration n'est en fait ici que de ce don qu'Apollinaire possédait au plus haut degré et qui devait lui valoir d'emblée l'admiration des surréalistes : le don d'*émerveillement*. « J'émerveille » était sa devise et c'est vraiment à s'émerveiller lui-même qu'il travaille lorsqu'il célèbre le corps de Lou ou de Madeleine. Il fait monter du plus profond de son être un chant de joie profonde qui traduit le bouleversement de son imagination, le *ravissement* de ses sens devant les réalités charnelles dont il fait le minutieux inventaire. Et cet affolement surréaliste, s'il emprunte les voies incantatoires du langage mystique, va en fait beaucoup plus loin ; il s'ouvre sur la reconnaissance d'une vocation authentiquement érotique de la parole. Nommer, dire, *proférer* les choses avec une violence poétique et une impudeur éclatante, surtout si elles sont secrètes, cachées, voilées, marquées de tous les tabous de la décence et de la fausse honte, c'est les faire exister, leur conférer une présence réelle. La parole est vraiment acte d'amour et possession. On le voit lorsque Apollinaire choisit d'aborder le thème audacieux entre tous des *portes* du corps féminin. L'admirable poème *les Neuf Portes de ton corps* qu'il consacre à Madeleine n'est pas simplement un exercice particulièrement brillant et ingénieux de poésie érotique, il est une véritable tentative rituelle et lucide de pénétration d'un mystère charnel, une sorte de viol lentement, cérémonieusement et méthodiquement opéré dans le langage. Apollinaire le savait bien qui s'adressait à une femme qu'il connaissait relativement peu, qui était loin de lui, mais dont il devenait le maître et l'amant souverain par le poème

> O portes ouvrez-vous à ma voix
> Je suis le maître de la Clef

A ce stade la poésie apparaît douée d'un singulier pouvoir libérateur. Elle peut aller jusqu'au bout, dans l'érotisme le plus franc et, pourrait-on dire, le plus systématique : elle réalise l'étrange synthèse d'un chuchotement intime et d'un aveu d'amour crié le plus haut possible. Le sommet de ce type de poésie est peut-être atteint dans le *33ᵉ Poème à Lou* où Apollinaire salue d'un verset à l'autre chaque partie du corps qu'il célèbre des mots « Je t'aime » ou « Je vous aime », mais se consacre avec une telle exactitude à la dénomination de chacune de ces parties que ce qu'il peut y avoir d'audacieux dans ce dénombrement est comme aboli mystérieusement par ce qu'il y a d'ardent dans cette profession de foi amoureuse. Il semble que tout puisse être permis :

> Mon très cher petit Lou je t'aime
> Ma chère petite étoile palpitante je t'aime
> Corps délicieusement élastique je t'aime
> Vulve qui serre comme un casse-noisette je t'aime
> Sein gauche si rose et si insolent je t'aime
> Sein droit si tendrement rosé je t'aime
> Mamelon droit couleur de champagne non champagnisé
> [je t'aime
> . . .

Et en effet tout est permis à qui peut parler cette langue. On reconnaît là ce rythme incantatoire dans lequel les surréalistes fixeront leur vertige devant la femme et l'amour (ainsi Breton dans l'*Union libre*) comme si certain délire ne pouvait se libérer que dans une sorte de salutation éperdue. La beauté et la « hauteur » du salut plaçant alors d'un seul coup l'objet d'hommage au-dessus du pur et de l'impur. Tout peut être intégré à ce langage : l'humeur salace, l'incongruité, le libertinage, la forfanterie. Et surtout l'expérience érotique la plus libre. Il reste le lumineux langage de l'amour. A Lou qui un jour avait parlé de « vice » dans une de ses lettres, Guillaume répondait :

> Le vice n'entre pas dans les amours sublimes

et un peu plus loin

> Devant ta croupe qu'ensanglantera ma rage
> Nos amours resteront pures comme un beau ciel

3. UNE ÉROTIQUE DE LA COMMUNICATION

Si l'on considère justement les *Lettres à Lou,* mises à notre disposition dans leur intégralité par une édition due à Michel Décaudin [1], on s'aperçoit que la fonction « littéraire » de l'érotique d'Apollinaire est inséparable de sa signification vécue, que le *dire* et le *vivre,* pour reprendre une formulation d'Henri Meschonnic [2], s'y articulent étroitement. Ce document exceptionnel confirme en effet, mais avec quelle force, ce que nous avons déjà découvert : l'activité épistolaire prend volontiers chez Apollinaire le sens d'une « communication », s'établissant non au seul niveau de l'information ou de la relation, comme il arrive dans de nombreuses correspondances, mais à celui, beaucoup plus profond, du désir. Les lettres à Madeleine de *Tendre comme le souvenir* le montraient déjà avec une extrême intensité, et le fait qu'Apollinaire soit amené à recourir avec diverses correspondantes à de mêmes formes, à de mêmes schémas de dialogue érotique (mieux, qu'il écrive à Lou et à Madeleine dans le même langage, à quelques mois de distance, et quelquefois simultanément) indique qu'il s'agit, dans une large

1. Ed. Gallimard, 1969.
2. Henri Meschonnic, *Pour la Poétique,* éd. Gallimard, p. 42 s.

mesure, de sa part d'une attitude délibérée, systématique, on pourrait dire « volontariste ». Pourtant, la plénitude spontanée de la communication érotique demeure : les *Lettres à Lou* en font l'éloquente démonstration.

Cette correspondance qui s'étend sur plus de quinze mois (de septembre 1914 à janvier 1916) nous offre le très curieux exemple de la façon dont Apollinaire, au moins dans la période la plus ardente de son amour pour Louise de Coligny-Châtillon, rencontrée à Nice à la fin de l'été de 1914, *accomplit* dans ses lettres une passion physique dont il entretient, par les voies et moyens du langage, la vitalité et la violence. Dans chacune de ses lettres, écrites pour la plupart de Nîmes où il a rejoint son régiment, il consacre, au milieu de propos divers et d'informations données sur sa vie de soldat, un certain nombre de lignes (assez souvent dans la conclusion, au moment où il quitte et embrasse Lou) à communiquer *sexuellement* avec sa correspondante, en lui proposant des évocations, des images, des mots, des termes dont la seule *inscription* a le sens d'une activité érotique. Qu'Apollinaire soit parfaitement conscient de ce qu'il y a là de transgressif ne fait aucun doute, et il est même probable que cette transgression délibérée, ce « viol », joyeusement brutal ou trivial, de certaine convenance épistolaire, est d'abord ce qu'il recherche et ce qui le satisfait. Il n'en est pas moins vrai qu'il reste placé, à ses propres yeux, dans la « condition » traditionnelle de l'homme qui écrit des lettres à la femme qu'il aime, qui vient la rejoindre chaque jour : « Lou, je reprends mon petit entretien avec toi, entretien quotidien, parfois biquotidien et qui est le seul charme de ma vie nîmoise » (2 février 1915). Et il parle, si besoin est, comme n'importe quel amant enflammé qui prend la plume : « Je n'ai pas écrit beaucoup de lettres d'amour dans ma vie, encore que j'en aie reçu, mais en général je n'aime pas écrire de lettres, mais cette fois j'éprouve une sorte de volupté à vous dire tout simplement que je vous aime » (mardi soir, octobre ou novembre 1914).

Donc, lettres d'amour. Apparemment, une correspondance amoureuse comme une autre. Mais, dès qu'on fait la part de la parole érotique, on voit comment Apollinaire inverse le discours épistolaire des amants traditionnels. Il suffirait, pour le comprendre, d'imaginer les poètes romantiques employant, au milieu de protestations amoureuses lyriques, quelques termes d'une crudité non équivoque (ce qui d'ailleurs leur est arrivé quelquefois). Le déplacement qui s'opérerait de l' « amoureux » au « sexuel » suffirait à ruiner un certain nombre de conventions épistolaires et à retourner subversivement un langage réglé selon certaines normes. Apollinaire excelle à cet exercice et, si précises que soient les vraies intentions de sa correspondance avec Lou, il n'hésite pas à lui parler dans les termes de la plus grande élévation, entretenant, d'une lettre à l'autre, de curieuses ambiguïtés, ménageant d'étranges « passages ». Lorsque cela s'étage dans la durée, l'impression est parfois saisissante. Ainsi, après avoir lu quelques-unes des lettres les plus « sadiques » ou sensuellement frénétiques adressées à Lou, on reste rêveur en retrouvant ces lignes, du 3 octobre 1914 — au début de la liaison : « Au demeurant, je vais en écrire un livre pour vous tout exprès et nul doute qu'inspiré par une passion aussi violente et puisque c'est de vous qu'il s'agit, d'une essence aussi délicate, je n'écrive là mon livre le plus rempli de cette humanité qui est à mon gré la seule chose digne de toucher les hommes et d'être recherchée par un écrivain. » On peut apprécier ce « discours » humaniste quand on sait quel accent et quel type de propos se rencontrent dans la suite des *Lettres*. Mais il arrive quelquefois que des effets de contraste saisissant se produisent à l'intérieur d'une même lettre, à quelques lignes de distance, tant il est vrai que la « rupture », la mobilité, l'*alternance* (quelquefois sous la forme extrême de la cyclothymie) est une dominante de la psychologie d'Apollinaire. Nous citerons cet exemple, cru et révélateur, tiré d'une lettre du 2 février 1915 : « ... Quelque femme que ce soit, si belle soit-elle pour les autres, pour moi elle n'existe point, puisque je t'ai toi qui es toute la beauté du monde : Eve, Hélène, Messaline, Agnès Sorel, toutes les beautés que le monde renomme ne sont que dalle auprès de mon Lou chéri que j'embrasse de toutes mes forces partout même sur son gros derrière de petit garçon désobéissant qu'il faut fouetter pour donner plus de relief à ses appas de jolie fille. » En l'espace de quelques lignes, on passe de l'hyperbole amoureuse enrichie de références culturelles à la vulgarité gaillarde, et de la vulgarité gaillarde à la transgression sadique. Apollinaire est coutumier de ces glissements dans lesquels il se complaît et paraît en tout cas très à l'aise.

En réalité, il faut voir là une aptitude assez étonnante à affirmer, au niveau de l'*écrit* (et plus particulièrement de l'écrit destiné à la communication : la *lettre*), la « totalité » d'une expérience amoureuse qui rassemble le corps et le cœur, la chair et l'esprit dans une unité si forte et si exigeante qu'elle rend caduques les notions de pudeur ou de décence, tout ce qui paraît imposer frontière ou « réserve » à la passion. On sait que toute expérience amoureuse vraie implique une telle unité, et Apollinaire n'a rien inventé ni découvert dans ce domaine. Mais en général, sur le plan du *langage* de l'amour, des dissociations s'opèrent, suggérées par un système de conventions et des représentations culturelles complexes : on *dit* ou on *écrit* telle chose, on ne *dit* pas ou on n'*écrit* pas telle autre, en tout cas, on ne *dit* pas ou n'*écrit* pas les deux en même temps ou à la suite, on choisit. Apollinaire, lui, ne choisit pas, et en ce sens, il accomplit par la plume l'amour parfait et total. La fête spirituelle en même temps que la fête charnelle. L'ivresse de l'âme en même temps que le déchaînement, sauvage, des sens. Avec une absence abolue de gêne, l'innocence la plus provocante et le naturel le plus cru. Le *même* homme peut écrire dans la *même* lettre (9 janvier 1915) : « Il y a une correspondance unique et inouïe entre nos âmes » et, un peu plus loin : « Il me semble que je te pénètre partout même là où tu le crains, il me semble voir tes soubresauts quand je te fais sentir que tu m'appartiens, que j'ai droit sur toi, droit de te mater, de te faire souffrir, droit d'anéantir ta fierté et ta volonté, il me semble voir ton orgueil fléchir et ta bouche me rendre hommage devant et derrière. » On comprend qu'il puisse ressentir avec tant de force, dans la fusion érotique, l'absence de frontière entre chair et « hors chair », entre impudeur et pudeur, et qu'il l'écrive : « ... il faut que nous nous aimions autant hors de la chair que dans la chair » (17 janvier 1915), « O Lou, la plus pudique des impudiques ! » (27 janvier 1915).

Une telle indépendance à l'égard des codes de la vie amoureuse, une telle libération érotique sont évidemment propices à la production délibérée de fantasmes sexuels. C'est ce qui ne manque pas d'arriver dans le cas d'Apollinaire et, en un sens, on pourrait dire que l'ensemble des *Lettres à Lou* est dominé par un unique et très prégnant fantasme (en réalité, présent non seulement dans cette conjoncture mais dans *tout* le comportement sexuel d'Apollinaire) qui peut, sommairement, se décrire ainsi : obsession de la posture d'une croupe féminine, volumineuse, soumise à la flagellation. Ce fantasme qui semble correspondre à une pulsion particulièrement violente d'Apollinaire (et à des attitudes vraisemblablement acceptées par Lou) joue pour lui sur le plan visuel, sur le plan tactile et sur le plan mental où il s'associe à une volonté très précise de « correction », de domination impérieuse, physique et morale, de l'être aimé. Qu'il s'agisse d'un fantasme sadique « classé » et de caractère relativement banal ne change rien à sa vigueur et à son omniprésence. La seule obsession qui semble réellement lui faire concurrence, dans cette correspondance, est celle des pratiques solitaires de Lou quand elle est éloignée de son amant, ce que Guillaume appelle si gentiment « faire menotte » et sur quoi il appuie aussi avec une particulière insistance, adressant à sa maîtresse d'affectueux reproches mais la poussant en même temps à la confidence (et liant sans doute les deux choses dans son esprit, car c'est parce que Lou fait une « faute » qu'elle doit être « corrigée »). Cette faculté de « fantasmer » sur un ou deux faits sexuels précis est si forte chez Apollinaire que parfois toute la partie amoureuse de sa correspondance avec Lou apparaît comme écrite dans un état second, dans un état de tension érotique de l'imagination tel que tout ce qui se situe hors de ce délire des sens donne une étrange impression de « chute », de baisse brutale de potentiel. On le constate d'une manière particulièrement sensible au moment où survient un premier froid dans les amours de Guillaume et de Lou, où leur liaison commence à chanceler (elle n'est pas venue le rejoindre à Nîmes où il l'attendait) : la lettre du 27 février 1915, commençant par « Chère amie », et surtout celle du 6 mars 1915, commençant par « Mon amie » (alors qu'on a entendu tant de fois : Lou, mon Lou, mon petit Lou, ma Lou adorée, mon amour, mon cœur, ma très belle chérie, etc.) donnent le pénible sentiment d'une « dépression » soudaine. Et voilà que Guillaume qui, à la fin de chacune de ses lettres avait l'habitude d'embrasser Lou « partout », d'énumérer avec complaisance les parties de son corps sur lesquelles il déposait ses baisers, se met à dire tout sagement et platement : « Pour le surplus, je te baise les mains », ou : « ... Je t'embrasse de toute mon âme. » La « sortie » de l'ordre du désir est accomplie.

Cette sortie est d'autant plus sensible que la fougue fantasmatique était puissante. Nous avons indiqué quel était le fantasme érotique majeur d'Apollinaire. Le besoin de domination et d'autorité, le désir d'être le « maître », qu'il implique (« Tu dois faire plier ton orgueil devant mes ordres, tu es à moi, tu dois m'obéir », 16 janvier 1915 ; « ... il me faut ta vie, ton sang, chaque respiration de ta poitrine, chacun de tes désirs et tout l'assentiment de ta volonté, de ton corps, de ton esprit », 18 janvier 1915) prennent en fait une curieuse ambiguïté, si l'on sait que Guillaume s'adresse fréquemment à Lou comme à un petit « garçon » (l'idée de la correction, justement !) et la masculinise assez volontiers au niveau de l'expression : Mon Lou, P'tit Lou, le plus beau des Lou, un bien gentil p'tit Lou, « mon gentil et mignon et joli et endiablé p'tit Lou » (6 décembre 1915). Cela, au moins, nous avertit de la complexité de l'érotique apollinarienne et nous incline à être attentifs aux nombreux détours et équivoques de sa formulation. Equivoques de registre, surtout. Les ruptures que nous constations plus haut, nous les retrouvons ici, à l'intérieur même de l'univers fantasmatique. Pour libérer ses obsessions, Guillaume parle parfois tout crûment et « positivement » de cravache, de martinet, de fouet, s'amuse d'autres fois à appeler Lou sa « crème fouettée », mais aussi bien laisse débonder sans contrôle toute sa violence sexuelle : « Je t'adore ma chérie. Je te désire. Je m'introduis en toi de toute ma virilité. Je me bande comme l'arc de Nemrod. Je te serre et te broie dans mes bras. Je darde toute ma force vitale en toi. Je prends tes lèvres. Je palpe ton beau derrière adoré. Je le baise. Je te bois là où ta toison exquise est une dentelle délicate et soyeuse, la blonde, dentelle je crois passée de mode, mais que j'aime. Ma chérie, je te désire à en rugir » (Noël, 1914). Au besoin, il donne libre cours à son sadisme sans le moindre fard et en mettant tous les points sur les i : « Ces deux belles éminences doivent prendre à juste titre la robe rouge cardinalice et je me charge de la leur donner. Je te les ferai tordre de douleur et de délices jusqu'à ce que pantelante je te prenne profondément, bouche à bouche, et si tu ne te rends pas c'est le supplice du pal que je te réserve... » (8 janvier 1915), « Mon Lou, tu ne peux te figurer comme je t'ai désirée hier et cette nuit. Je m'imaginais ton corps, cette chère humidité de la grotte mystérieuse où gît la volupté. J'ai imaginé que, si tu ne me répondais pas comme je voulais, lors de notre prochaine rencontre, je t'aurais mise nue à quatre pattes comme une chienne. Je t'aurais fouaillée pendant que ta bouche m'aurait bu et si je ne t'avais pas jugée suffisamment humiliée je t'aurais piétinée. J'aurais foulé aux pieds ton ventre et ton derrière tour à tour sous les clous de mes souliers d'artilleur. Et meurtrie je t'aurais empalée » (11 janvier 1915). Ces passages méritent d'être cités, non parce qu'ils nous informent sur Apollinaire et son comportement sexuel, mais parce qu'ils nous renseignent sur l'espèce de rage avec laquelle il cherche à exaspérer le langage qui « recomposera » ses situations érotiques favorites, reconstruira, dans l' « écriture », ses fantasmes. Nous sommes aux antipodes de l'accent truculent et égrillard. Le registre s'est totalement transformé et l'équivoque, l'ambiguïté, tout d'un coup n'existe plus, parce que la langue du sexe s'est fixée, comme tétanisée, au plus haut degré de l'imagination « désirante ». On pourrait analyser ces fragments ligne à ligne : on remarquerait à quel point la répétition, la reprise, l'insistance itérative, le jeu même des temps verbaux (le futur pour l'imagination projective, le conditionnel pour l'imagination hypothétique) y sont comme les *figures* mêmes de l'incantation. Car, c'est le mouvement incantatoire dont nous avons déjà parlé que nous retrouvons ici. Le principe en est, comme dans les textes de poésie érotique, la volonté de faire exister une vision, une image, une situation, par la force même de l'affirmation, par la violence énonciative de la phrase. Plus la chose est dite, formulée clairement, répétée, « appuyée », plus la jubilation d'Apollinaire est grande. Il est bien évident qu'à ce stade nous retrouvons cette pleine valeur d'*acte* que nous avons déjà reconnue à la parole érotique. L'état d'intense exultation des sens dans lequel elle est prononcée fait d'ailleurs qu'elle échappe à tout contrôle. Non seulement au plan du *vocable* (cherchant toujours en quelque sorte son paroxysme dans la précision et dans la crudité), mais aussi au plan de l'idée. On notera à ce sujet que le sadisme d'Apollinaire ne se contente pas de scènes et de tableaux, mais, à l'occasion, se nourrit de rêveries blasphématoires. Par exemple, dans ce passage étonnant d'une lettre du 13 janvier 1915 (document, en un sens, assez exceptionnel) où, pour attester solennellement devant Lou la force de son désir, il n'hésite pas à bafouer une à une, dans les termes les plus bas, les femmes qu'il a aimées avant elle, « l'Anglaise » aussi bien que Marie L. (reniements rageurs et vulgaires, qui s'assortissent d'ailleurs curieusement de nostalgiques évocations corporelles qui ramènent Guillaume à son éternel fantasme, à son éternelle obsession des croupes « mirobolantes »). On sait d'ailleurs que le blasphème est l'envers de la litanie, et cela nous replace parfaitement à l'intérieur de la prière érotique, dont toutes les caractéristiques sont ici présentes. Les *Lettres à Lou* en donnent d'ailleurs quelquefois de parfaits exemples. Ainsi, cette magnifique conclusion de la lettre du 1er février 1915, qui vaut d'être citée en entier :« O Lou bien-aimée, sois bénie pour m'avoir donné un amour inouï, plus fort que tous les amours qu'aient jamais éprouvés les hommes. Sois bénie pour t'être donnée complètement, sans restrictions. Sois bénie d'être belle comme tu l'es, sois bénie dans tes yeux, dans ta bouche, sois bénie dans tes seins qui sont comme de petites juments faisant des cabrioles, sois bénie dans tes lombes où vibre la noire et terrible volupté, sois bénie dans tes jambes qui sont comme de beaux canons peints en blanc, sois bénie en tes pieds qui sont les socles du plus beau monument que la terre ait vu, ton corps de déesse, sois bénie en tes pieds qui sont forts et que j'ai baisés un jour, les croyant difformes et qui ont la beauté des pieds des femmes grecques qui marchaient toujours à pied. Je t'adore. Sois bénie en ta chevelure qui est comme du sang versé. Je t'aime. Bonsoir Amour. » Tout d'un coup nous sommes aux antipodes de la vulgarité jubilante et de la violence sadique. On mesure l'étendue du registre érotique épistolaire d'Apollinaire.

C'est pourtant dans ce qu'on pourrait appeler les formes « descriptives » du désir qu'il est le plus totalement *poète* (c'est-à-dire : qu'il se révèle le même que dans sa poésie, mais aussi comme le maître d'une écriture incomparablement active). Décrire, c'est énoncer, énumérer et définir. Mais c'est surtout nommer. Et nous retrouvons ici ce goût profond d'Apollinaire pour la *nomination* des choses de l'amour et du sexe qui est comme le signe le plus sûr du « travail » qu'opère le désir sur la matière même de ses écrits. Plus la nomination est osée, audacieuse, transgressive, mieux l'acte poétique — homologue presque parfait de l'acte sexuel — est accompli. D'où ce sourd besoin d'aller toujours le plus loin possible dans la formulation érotique, de dévoiler toujours davantage des détails secrets, de mettre à nu le caché et l'intime, de saisir toutes les nuances d'un mouvement, d'un geste ou d'une posture. La lettre du 28 janvier 1914 en offre d'assez précis exemples, où l'exaltation lyrique, progressant de ligne en ligne, n'exclut nullement l'évocation presque anatomique de certains détails du corps de l'amante (mais Apollinaire a une sorte de génie pour inscrire les réalités organiques les plus précises dans un système métaphorique à la fois très exactement descriptif et très « poétique »). Une sorte de sommet est atteint dans la lettre du 13 janvier 1915 où, dans l'évocation de Lou qui nous est offerte, *tout* est littéralement décrit (avec une insistance particulière sur ces portes — ces neuf portes — du corps féminin, à laquelle, nous le savons, Apollinaire tient tellement) : pieds, orteils, cuisses, sexe, fesses, bouche, narines, yeux, chaque fragment de la chair de Lou est comme exploré, déplié, chanté en des termes à la fois si concrets, si réalistes et si métaphoriquement chatoyants que rien n'échappe à la vibration commune du langage poétique et du désir.

On remarquera d'ailleurs à ce sujet que le lyrisme érotique d'Apollinaire dispose d'une gamme de références métaphoriques extraordinairement étendue qui n'est pas un de ses moindres charmes. Cela peut donner une impression de jeu raffiné (tenant à la fois à la poésie précieuse et à l'énumération surréaliste), mais il faut reconnaître une certaine force à ce jaillissement de comparaisons destinées à célébrer le corps de Lou. On pourrait même tenter une classification. Règne végétal : « A bientôt donc, mon très cher chéri, je t'embrasse et te respire partout, ma tubéreuse de Nice, mon jasmin de Grasse, ma baie de laurier de Nîmes. Je baise ton pied et ta bouche ma bien-aimée » (17 décembre 1914), « A demain, ma couronne de laurier, je t'embrasse sur toutes les feuilles ; même celles qui sont à l'envers et je mordille délicieusement tes baies si glorieuses » (18 décembre 1914). Règne animal : « Je t'embrasse, je baise tes chers petits seins roses et insolents qui semblent des brebis broutant des lys et des violettes et j'embrasse éperdument les douces et infiniment précieuses toisons d'or pâle qui sont celles qu'Argonaute sans vaisseau et devenu équestre je veux conquérir à jamais pour notre bonheur sans fin, ma chérie » (20 décembre 1914), « Je pense parfois comme toi-même que tu es ce fameux petit garçon qu'il faut châtier dans cette admirable position où tu lèves ta croupe comme une jument qui pétarade » (27 janvier 1915). Ordre géographique : « Cette Suisse de ton corps est plus agréable et plus belle que toutes les Alpes avec le Mont-Blanc, le Righi et le mont Rose » (17 janvier 1915). Ordre esthétique : « ... tu es ce que l'univers a de plus parfait, tu es ce que j'aime le mieux, tu es la poésie, chacun de tes gestes est pour moi toute la plastique, les couleurs de ta carnation sont toute la peinture, ta voix est toute la musique, ton esprit, ton amour, toute la poésie, tes formes, ta force gracieuse sont toute l'architecture » (1er février 1915). On voit donc le clavier, le « système » de célébration sur lequel travaille Apollinaire. Mais c'est bien évidemment sur d'innombrables métaphores de détail que l'on pourrait s'arrêter pour compléter ce tableau. Insolites, inattendues, piquantes, elles sont partout : seins comparés à « des meringues glacées sur lesquelles aurait neigé un coucher de soleil rose » (17 janvier 1915), croupe se balançant « orgueilleuse comme un ballon captif que fouetterait le soleil de ses rayons impitoyables » (27 janvier 1915), Lou tout entière chantée comme « allumeuse, la plus terrible des allumeuses, ô pétroleuse » (2 janvier 1915). Si le mot d'*inspiration* peut encore avoir un sens, celle dont Apollinaire est capable, dans son registre métaphorique d'amant éperdu, est, on le constate, d'une inépuisable fécondité.

Si l'on pense que Louise de Coligny-Châtillon était non seulement une femme comme les autres (ce qui, bien sûr, ne saurait vouloir dire grand-chose), mais une « gracieuse et novice aventureuse, frivole et déchaînée, prodigue à la fois et avare de soi, imprudente et osée, et plutôt d'ailleurs pour la frime que pour l'enjeu », selon André Rouveyre, « indifférente et pleine d'allant, égoïste et prête à donner, assez superficielle en fin de compte, apte à s'offrir et à se soustraire, moins par coquetterie que par caprice et saute d'humeur », selon Michel Décaudin [1], on mesure la merveilleuse *tension* qu'a opérée sur elle, le temps d'une brève liaison, le désir d'Apollinaire, ou plutôt l'écriture de son désir. Que cette écriture ne soit point ici celle du poème, du texte littéraire, mais d'une correspondance réelle (même si, bien évidemment, la « littérature » y a sa part), qui, livrée dans sa totalité et son authenticité, nous apparaît comme un document vrai, parfaitement située dans la vie du poète

1. Préface aux *Lettres à Lou*, éd. Gallimard, p. III.

et dans le temps, est d'une grande importance. Car nous voyons que le désir, même dans les formes les plus extrêmes de la violence sadique, du délire fantasmatique ou de l'exultation érotique calculée, a ses racines dans l'expérience vécue la plus profonde, au moment même où il entre dans l'ordre *verbal,* on pourrait presque dire *textuel.* Il est nécessairement parole et « parole communicante » et, à ce titre, se trouve à l'intersection exacte du biologique et du *dicible.* Une grande part de l'œuvre d'Apollinaire se situe probablement en ce lieu. Les *Lettres à Lou* en apportent la provocante démonstration.

APPENDICE
SUR DEUX ROMANS D'APOLLINAIRE

Il n'est plus possible aujourd'hui d'ignorer les *Onze mille verges* (qui ont délecté d'ailleurs Aragon et Pieyre de Mandiargues) et les *Exploits d'un jeune Don Juan,* même si l'on sait qu'Apollinaire écrivit ces livres à l'âge de vingt-six ans pour gagner l'argent que son petit emploi dans une banque et sa collaboration à de jeunes revues ne lui procuraient pas, même s'il tenait à garder soigneusement l'anonymat (en dépit des imprudentes initiales G. A. qu'il avait tout de même laissé porter sur un catalogue pour curieux) et même s'il a eu parfois la main un peu lourde. Ces romans nous renseignent aujourd'hui sur lui beaucoup plus qu'on ne pense et méritent d'être regardés de près.

Les Exploits d'abord. Dans une annonce clandestine de 1907 reproduite par Louis Perceau dans sa « Bibliographie du roman érotique », ils s'intitulaient *Mémoires,* et, comme le héros s'appelait Willie, on pouvait penser que les réminiscences autobiographiques n'étaient pas bien loin. De fait, il y a dans les aventures du jeune Roger — c'est son prénom définitif — beaucoup de choses qui sentent l'enfance et l'adolescence, et plus particulièrement cette enfance et cette adolescence mi-monégasques, mi-flamandes ou allemandes, qu'a imprégnées une si vive *odor di femina,* qu'ont traversées de jeunes mères, de jeunes tantes, de jeunes parentes, de jeunes amies. Tout est là, dans le livre, et cet érotisme presque innocent dans ses désordres, ses audaces et ses incorrigibles curiosités, a en effet quelque chose d'étrangement domestique et familial. On ne sort pas de cette grande demeure qui s'appelle « Le Château » — et qui ressemble peut-être à ce domaine de Neu-Glück perdu dans la forêt rhénane où Apollinaire avait fait, auprès d'Annie, ses premières (ou secondes) armes poétiques et amoureuses —, puisqu'on y trouve, à portée de la main, tous les charmes que l'on souhaite : tantes curieuses et délurées, paysannes, servantes, voisines, concierges... Le jeune homme imagine, regarde, explore, compare. Non sans quelque forme de progression méthodique qui ferait croire parfois à une curieuse description *in vivo* des différents stades de « fixation » sexuelle, en cette époque où naît la psychanalyse ! — mais enfin, ce qui domine, c'est l'idylle, l'idylle érotique, dans sa naïve luxuriance. Et comme le château est plein de corridors, de greniers, de verdures et de labyrinthes, on est aussi proche de la Comtesse de Ségur (dont les audaces sexuelles sont d'ailleurs connues) que de Casanova.

Il en va tout autrement avec les *Onze mille verges*. D'abord le langage y a une étrange puissance « quantitative » et générative. Le titre nous en avertit : *vierges* ou *verges*, emblèmes de coït ou de flagellation, les mots sont porteurs d'un sens pluriel, d'une infinité d'images, et Apollinaire ne se prive pas d'en jouer. Ensuite, il ne se prive pas non plus de mettre dans ce livre tout ce qui peuple et hante sa mythologie personnelle. A commencer par tous les fantasmes « cosmopolites » qui traversent sa biographie réelle ou imaginaire et sont si caractéristiques des obsessions xénophiles/phobes qu'il partage avec son époque. Son héros, en effet, porte le beau nom roumain de Mony Vibescu (fort proche de quelque Bibesco proustien) et le titre de hospodar héréditaire. Apollinaire s'épanouit dans le monde des boyards et des hospodars : il y trouve quelque chose à la mesure de son appétit de luxure et un aliment à ses rêveries « généalogiques ». Dès le début du livre, il annonce : « Bucarest est une très belle ville où il semble que viennent se mêler l'Orient et l'Occident », et, très vite, nous verrons des Roumains, des Serbes, des Monténégrins, des Albanais présider aux prouesses sexuelles de Mony. Cela se terminera avec des Turcs, des

Allemands, des Tatars, des Japonais, et des batailles orgiaques à Port-Arthur, dans une atmosphère qui, candeur en moins, n'est pas loin d'évoquer celle de *Candide*. *L'Orient-Express,* et ses équivoques sleepings, est là pour relier l'Asie à l'Europe.

Dans ces conditions, on voit que le hospodar héréditaire trouve, d'entrée de jeu, un cadre digne de ses princières prouesses. Nous découvrons vite que, grand amateur de femmes et en même temps giton du vice-consul de Serbie, il n'est pas très regardant sur l'orthodoxie sexuelle. Mais quand il quitte Bucarest pour Paris, à la fin du chapitre I, ce sont d'autres surprises qu'il nous réserve. A partir de ce moment-là, le ton monte, le rythme s'accélère, l'imagination s'échauffe, et le lecteur, entraîné, ne tarde pas à s'apercevoir que la notice du catalogue clandestin de 1907 ne mentait pas, qui disait : « Les scènes de pédérastie, de saphisme, de nécrophilie, de scatomanie, de bestialité se mêlent ici de la façon la plus harmonieuse. » Très harmonieuse, en effet. Au point que le lecteur se sent devenir le lieu (commun) des fantaisies sexuelles les plus inattendues. Le mot fantaisie étant d'ailleurs parfaitement à sa place ici, aussi bien par son sens propre que par celui qu'Apollinaire semble illustrer à tout moment : joyeuse humeur dans les déportements les plus atroces. Et sans doute est-ce un effet de son art littéraire. La notice du catalogue le dit d'ailleurs, en concluant : « Sadiques ou masochistes, les personnages des *Onze mille verges* appartiennent désormais à la littérature. »

Ces personnages, il serait difficile de résumer, ou même de simplement énumérer, leurs prouesses érotiques. Disons simplement qu'Alexine et Culculine (qui s'appelle d'ailleurs, à la manière des « lionnes » de l'époque, Culculine d'Ancône) ont un tempérament qui aide à comprendre pourquoi Mony a préféré Paris à Bucarest. Et que, Estelle Romagne l'actrice ou Mariette la servante, ainsi que Wanda, Hélène ou Ida, qui appartiennent pourtant aux milieux sociaux comme aux pays les plus divers, n'ont pas grand-chose à leur envier. On comprend que la lubricité de Mony renaisse, inépuisablement, de l'une à l'autre. L'érotisme féminin est fêté ici avec autant de prodigalité que l'érotisme masculin. Quelque chose de différent, pourtant, apparaît avec des personnages comme Cornabœux et La Chaloupe, abominables malfrats sortis tout droit des *Mystères de Paris* qui, au moins dans un des épisodes particulièrement orgiaques du livre, introduisent une note de violence sanglante dont des prodiges d'humour rocambolesque ne parviennent pas à effacer tout à fait le côté inquiétant.

On touche ici à une composante particulièrement appuyée de l'érotique apollinarienne qui est la présence de pulsions sadiques très brutales et très franchement assumées. Il n'est plus nécessaire de rappeler qu'elle est décelable dans toute son œuvre — y compris dans son œuvre poétique —, comme dans son comportement réel : les *Lettres à Lou*, on l'a vu, en témoignent assez ainsi que tous les textes où les choses de l'amour se trouvent mêlées aux choses de la guerre. Pas plus qu'il n'est nécessaire d'insister sur l'intérêt éclairé qu'Apollinaire a porté à l'œuvre de Sade. On verra dans *les Onze mille verges* jusqu'à quels dérèglements frénétiques peut aller la violence de cette pulsion. La scène de l'orgie en sleeping, terminée par un double assassinat, est révélatrice à cet égard, tout autant que les scènes de vampirisme sur un champ de bataille qui occupent la dernière partie du livre. Et dans telles pages de haut déchaînement sexuel, on a beau lire des délicatesses du genre : « Ses dents déchirèrent le dos d'une blancheur polaire et le sang vermeil qui jaillit, vite coagulé, avait l'air d'être étalé sur de la neige », il n'en est pas moins vrai que la dominante est souvent une atroce ivresse « du sang, de la merde et du foutre mêlés » où Apollinaire se plonge avec une troublante rage.

Oui, on tue, on viole, on éventre dans ce livre. Et le poète du *Pont Mirabeau* est à l'aise dans ce genre d'ébats. Cependant, le trait le plus original de son érotisme « littéraire » est peut-être dans un certain don d'écriture qui le pousse à une extrême précision descriptive dans l'évocation des détails sexuels. Certes il sacrifie en cela aux lois du genre et fait scrupuleusement, avec un zèle jamais lassé, ce qu'on attend de lui. On dirait pourtant qu'il prend un plaisir tout personnel, visiblement fait du sens de la « transgression » et du viol du langage, à accuser les traits, les ombres et les lumières, à *faire voir,* dans un perpétuel grossissement, tout ce qui peut être vu. Ce pouvoir d'*exhibition* de l'écriture, il en use sans retenue et parfois avec une insistance qui prend curieusement la forme d'une obsession — s'agissant notamment des seins, des fesses, des cuisses et de croupes — du « gros » et du surabondant. Tout Apollinaire est là si on le connaît un peu, avec sa truculence, sa démesure, son rire, ses fantasmes et son énorme « obscénité » caractérielle.

Le plus étrange, et c'est par là qu'il faudra terminer, c'est qu'au milieu de cette prolifération obscène, la plus discrète, la plus secrète poésie tout d'un coup se réintroduit. Le passage le plus étonnant du livre, à cet égard, est celui où, au détour d'une page, sans transition, au milieu des délires copro et nécrophiles du sleeping, on peut lire cette description du paysage qui se découpe dans la portière du train : « Et comme on passait sur un pont, le prince se mit à la portière pour contempler le panorama romantique du Rhin qui déployait ses splendeurs verdoyantes et se déroulait en larges méandres jusqu'à l'horizon. Il était quatre heures du matin, des vaches paissaient dans les prés, des enfants dansaient déjà sous les tilleuls germaniques. Une musique de fifres, monotone et mortuaire, annonçait la présence d'un régiment prussien et la mélopée se mêlait tristement au bruit de ferraille du pont et à l'accompagnement sourd du train en marche. Des villages heureux animaient les rives dominées par les burgs centenaires et les vignes rhénanes étalaient à l'infini leur mosaïque régulière et précieuse. »

Etrange pause. Etrange romantisme. Mais, cette fois encore, Apollinaire est là tout entier, avec la poésie des *Colchiques*. Et pour qui sait lire, sa « thématique » la plus personnelle se découvre à chaque ligne des *Onze mille verges*. Ses mythes intimes y coexistent pacifiquement comme partout dans son œuvre, avec ses fantasmes les plus « violents ».

Éluard

1. L'ÉCHANGE : L'AMOUR

Il est impossible de tenter une approche de l' « érotique » éluardienne si on ne la situe pas d'abord dans le contexte général de l'érotique surréaliste. Partons donc de cette phrase d'André Breton dans son introduction aux contes d'Achim von Arnim : « Le monde sexuel, en dépit des sondages entre tous mémorables que dans l'époque moderne y auront fait Sade et Freud, n'a pas, que je sache, cessé d'opposer à notre volonté de pénétration de l'univers son infracassable noyau de nuit [1]. » Si les surréalistes n'ont cessé de privilégier le *désir* de l'homme et d'exalter sa toute-puissance, c'est précisément qu'il est, à leurs yeux, le vrai moyen d'accès à ce monde de la nuit dont parle Breton.

Nuit et non pas ténèbres. Il ne s'agit pas ici d'ombre, mais d'obscurcissement, de vertige, de *dissolution,* pour reprendre le terme et l'image dont use avec insistance Georges Bataille : « Le passage de l'état normal à celui de désir érotique suppose en nous la dissolution relative de l'être constitué dans l'ordre discontinu. Ce terme de dissolution répond à l'expression familière de vie *dissolue,* liée à l'activité érotique... Ce qui est en jeu dans l'érotisme est toujours une dissolution des formes constituées [2]. » Les surréalistes ont senti cela mieux que personne et, en ce sens, la *nuit* de Breton est la plus lumineuse, la plus éblouissante des nuits, puisqu'elle pulvérise dans son éclat et sa violence l'ordre rassurant des conduites humai-

1. Cf. Robert Benayoun, *Erotique du surréalisme,* éd. J.-J. Pauvert, p. 91.
2. Georges Bataille, *L'Erotisme,* éd. de Minuit et 10/18, p. 22-23.

nes socialement reçues et fait accéder l'homme, par la fusion des corps, à l'expérience de « continuité », de négation des limites, d' « absolu » peut-être, la plus subversive qui se puisse imaginer.

Expérience qui s'ouvre nécessairement sur une certaine forme de merveilleux et de fantastique. Le *merveilleux sexuel* est une découverte aisément décelable dans la plupart des manifestations de l'activité surréaliste. Il est la projection du désir sur les choses et les êtres, il est un principe d'*érotisation* — subtile et impérieuse — de tout le réel, il se « cristallise » volontiers sur l'image de la *femme* (considérée, selon le mot de Baudelaire, repris par le n° 1 de *la Révolution surréaliste*, comme « l'être qui projette la plus grande ombre ou la plus grande lumière dans nos rêves ») autour de laquelle tout un climat de fascinante féerie sensuelle s'établit. Il suffit, pour s'en convaincre, de relire ces vers de Breton, dans *le Revolver à cheveux blancs* :

> Tout au fond de l'ombrelle je vois les prostituées merveilleuses
> leur robe un peu passée du côté du réverbère couleur des bois
> . . . .
> Le grand instinct de la combustion s'empare des rues où elles se tiennent
> Comme des fleurs grillées
> Les yeux au loin soulevant un vent de pierre
> . . . .
> Je vois leurs seins qui mettent une pointe de soleil dans la nuit profonde
> Et dont le temps de s'abaisser et de s'élever est la seule mesure exacte de la vie
> Je vois leurs seins qui sont des étoiles sur des vagues
> Leurs seins dans lesquels pleure à jamais l'invisible lait bleu
>
> *(Un homme et une femme absolument blancs)*

Ou ces lignes de Desnos dans *la Liberté ou l'amour* :

> Que de fois, par temps d'orage au clair de lune, me relevai-je pour les contempler à la lueur d'un feu de bois, à celle d'une allumette ou à celle d'un ver luisant, ces souvenirs de femmes venues jusqu'à mon lit, toutes nues hormis les bas et les souliers à hauts talons conservés en égard à mon désir, et plus

> insolites qu'une ombrelle retrouvée en plein Pacifique par un paquebot. Talons merveilleux contre lesquels j'égratignais mes pieds, talons ! sur quelle route sommes-nous et vous reverrai-je jamais ? Ma porte, alors, était grande ouverte sur le mystère, mais celui-ci est entré en la fermant derrière lui et désormais j'écoute, sans mot dire, un piétinement immense, celui d'une foule de femmes nues assiégeant le trou de ma serrure...
>
> ....
>
> ... A la Porte-Maillot, je relevai la robe de soie noire dont elle s'était débarrassée. Nue, elle était nue maintenant sous son manteau de fourrure fauve. Le vent de la nuit chargé de l'odeur rugueuse des voiles de lin recueillie au large des côtes, chargé de l'odeur du varech échoué sur les plages et en partie desséché, chargé de la fumée des locomotives en route vers Paris, chargé de l'odeur de chaud des rails après le passage des grands express, chargé du parfum fragile et pénétrant des gazons humides des pelouses devant les châteaux endormis, chargé de l'odeur de ciment des églises en construction, le vent lourd de la nuit devait s'engouffrer sous son manteau et caresser ses hanches et la face inférieure de ses seins. Le frottement de l'étoffe sur ses hanches éveillait sans doute en elle des désirs érotiques cependant qu'elle marchait allée des Acacias vers un but inconnu...

Ou, précisément, ces lignes d'Eluard dans *Nuits partagées* :

> Toute nue, toute nue, tes seins sont plus fragiles que le parfum de l'herbe gelée et ils supportent tes épaules. Toute nue. Tu enlèves ta robe avec la plus grande simplicité. Et tu fermes les yeux et c'est la chute d'une ombre sur un corps, la chute de l'ombre tout entière sur les dernières flammes...
>
> ... Je m'obstine à mêler des fictions aux redoutables réalités. Maisons inhabitées, je vous ai peuplées de femmes exceptionnelles, ni grasses, ni maigres, ni blondes, ni brunes, ni folles, ni sages, peu importe, de femmes plus séduisantes que possible, par un détail. Objets inutiles, même la sottise qui procéda à votre fabrication me fut une source d'enchantements...

Il est assez facile de voir quels sont les traits communs de ces textes, ceux qui précisément mettent en place le *merveilleux sexuel* :

— la vision érotique est presque toujours saturée d'*onirisme* (références constantes à la nuit, étrangeté des effets de « lumière », fixité des formes) ;

— la précision de cette vision érotique, bien que évidemment porteuse de trouble, s'inscrit toujours dans un langage calme et lucide : elle est totalement *acceptée* au niveau de la parole (d'où un énoncé tout ensemble pudique et provocant) ;

— elle est acceptée, plus délibérément encore, au niveau du regard : elle s'exprime essentiellement par des *images* fascinantes qui placent le lecteur dans une situation de voyeur-« désirant » (fréquence du thème de la nudité) ;

— l'érotisme central du texte se fragmente dans une complexe *thématique* de l'objet-signe (ou fétiche), caractéristique de la poétique surréaliste (ombrelle, talons, robes, etc.) ;

Une constatation s'impose alors : un contraste très fort s'établit dans ces textes entre l'*exultation* érotique (c'est bien le terme juste, si l'on veut se référer à l'admirable poème de Breton *l'Aigle sexuel exulte* dans *l'Air de l'eau*) implicitement exprimée et la relative sérénité, « immobilité », de l'appareil descriptif, visuel et sonore (décor onirique, images, objets, parole dominée) à travers lequel elle se transmet. D'où un déséquilibre, une situation de rupture, un hiatus qui est précisément la source du *merveilleux*. Ce déséquilibre engendre nécessairement une émotion, un trouble — premier pas sur la voie de la « dissolution » — qui est parfaitement conforme à la nature même de toute expérience érotique (dont les surréalistes réalisent ainsi avec un instinct très sûr la transposition dans le langage). Le passage à une forme supérieure de trouble se fait chaque fois que l'allusion érotique est assez appuyée ou d'une ambiguïté assez insistante pour que le climat onirique se confonde avec un climat de « réalité » (où les catégories du *gênant*, de l'*indécent*, de l'*obscène* interviennent d'une manière particulièrement efficace) dont le lecteur ou le spectateur ne peut éluder le double pouvoir d'attraction et de provocation : c'est ce qui arrive très fréquemment dans les films de Buñuel, passé maître dans ce type de poétique de l'érotisme. L'affirmation d'Eluard : *Je m'obstine à mêler des fictions aux redoutables réalités* prend alors tout son sens et apparaît comme la règle d'or de cette dialectique du désir qui consiste à résoudre, par les courts-circuits les plus délibérés et les provocations les mieux

« montées », la contradiction qui sépare les fantasmes de l'imagination de la réalité des images.

Il serait pourtant imprudent de privilégier le mot *fiction* dans cette phrase. Eluard a toujours parlé du désir et de l'amour avec la lucidité et l'intransigeance que l'on met à parler d'une expérience authentiquement *vécue*. Dès sa jeunesse son accent ne trompait pas.

« L'amour admirable tue », répondait-il à la dernière question d'une célèbre enquête surréaliste. C'était en décembre 1929. Le numéro 12 de *la Révolution surréaliste* avait posé les questions suivantes :

> I. Quelle sorte d'espoir mettez-vous dans l'amour ?
> II. Comment envisagez-vous le passage de « l'idée d'amour » au « fait d'aimer » ? Feriez-vous à l'amour, volontiers ou non, le sacrifice de votre liberté ? L'avez-vous fait ? Le sacrifice d'une cause que jusqu'alors vous vous croyiez tenu de défendre, s'il le fallait, à vos yeux, pour ne pas démériter de l'amour, y consentiriez-vous ? Accepteriez-vous de ne pas devenir celui que vous auriez pu être si c'est à ce prix que vous deviez de goûter pleinement la certitude d'aimer ? Comment jugeriez-vous un homme qui irait jusqu'à trahir ses convictions pour plaire à la femme qu'il aime ? Un pareil gage peut-il être demandé, être obtenu ?
> III. Vous reconnaîtriez-vous le droit de vous priver quelque temps de la présence de l'être que vous aimez, sachant à quel point l'absence est exaltante pour l'amour, mais apercevant la médiocrité d'un tel calcul ?
> IV. Croyez-vous à la victoire de l'amour admirable sur la vie sordide ou de la vie sordide sur l'amour admirable ?

Cette enquête reposait sur la conviction qu'en l'amour résidait, comme l'affirmait André Breton, « la plus haute visée humaine et même celle qui transcende toutes les autres ». Et elle prétendait, par un appel direct et impérieux à la sincérité du sujet interrogé, dissiper tous les malentendus qui ont pu faire de l'idée d'amour autre chose que ce qu'elle doit être. Le texte qui précédait le questionnaire précisait d'ailleurs : « Ce mot *amour* auquel les mauvais plaisants se sont ingéniés à faire subir toutes les généralisations, toutes les corruptions possibles (amour filial, amour divin, amour de la patrie, etc.), inutile de dire que nous le restituons ici à son sens strict et menaçant d'attachement total à un être humain, fondé sur la reconnaissance impérieuse de la vérité, de *notre* vérité ' dans une âme et dans un corps ' qui sont l'âme et le corps de cet être. » Il s'agit au cours de cette poursuite de la vérité qui est à la base de toute activité valable, du brusque abandon d'un système de références. On reconnaît là l'affirmation d'un principe d'intransigeance que l'on retrouve dans presque toutes les démarches surréalistes, mais on est frappé de constater qu'aux yeux des rédacteurs de l'enquête la seule voie qui permette d'en finir précisément avec les équivoques et d'atteindre à une certitude provocante soit celle de l'approfondissement de la vérité individuelle de chacun. Aussi importait-il de répondre sans dérobade ni faux-fuyant, avec une lucidité cabrée dont un certain langage poétique, serein mais offensif, devait être le meilleur véhicule. C'est ce que comprit parfaitement Eluard. Voici, dans l'ordre, ce que furent ses réponses :

> I. L'espoir d'aimer toujours, quoi qu'il arrive à l'être que j'aime.
> II. L'idée d'amour se plie trop pour moi au fait d'aimer pour que j'envisage le passage de l'une à l'autre. Et j'aime depuis ma jeunesse. J'ai longtemps cru faire à l'amour le plus douloureux sacrifice de ma liberté, mais maintenant tout est changé : la femme que j'aime n'est plus ni inquiète ni jalouse, elle me laisse libre et j'ai le courage de l'être. La cause que je défends est aussi celle de l'amour. Un pareil gage demandé à un honnête homme ne peut que détruire son amour ou le mener à la mort.
> III. La vie, en ce qu'elle a de fatal, entraîne toujours l'absence de l'être aimé, le délire, le désespoir.
> IV. L'amour admirable tue.

Il est clair que ces réponses ont été pesées. Elles reflètent une conception de l'amour qui ne laisse place à aucun compromis, aucune demi-mesure : l'amour pour Eluard investit la vie tout entière, il n'est soumis à aucune condition, l'espoir qu'il suscite est étranger aux accidents de l'existence, en lui s'accomplit la liberté souveraine de l'homme et de la femme, toutes ses conséquences doivent être acceptées sans restriction, la mort incluse. Conception absolue, mais nullement mystique. L'amour surréaliste, s'il est parfaitement « orthodoxe » dans ses voies comme dans ses fins en ce sens qu'il réalise pleinement l'union de l'homme et de la femme, n'en repose pas moins sur une exaltation lucide du désir, c'est-à-dire sur une *érotique*. Et l'érotique éluardienne est d'une particulière franchise. Passons sur quelques précisions qu'il donne en 1922 dans une enquête-jeu de *Littérature* intitulée *Quelques-unes de vos préférences* (où l'on peut lire : *Geste préféré* : caresse, mais aussi, *Manière de faire l'amour* : assis, femme à cheval) ou dans un débat ouvert en 1928 par *la Révolution surréaliste* sur le thème de « la sexualité : part d'objectivité, degré de conscience ». Mais notons que dans *l'Immaculée Conception* qu'il compose avec André Breton (1930), il accorde une merveilleuse part à la méditation érotique. Le livre s'ouvre sur l'image du « ventre long de la femme » qui glisse et ondoie dans une lumière de rêve, et tous les textes qui suivent semblent placés sous le signe de cette vision. Dans la troisième partie, *Médiations*, et notamment dans le morceau intitulé *Amour*, les divagations de l'écriture délirante s'apaisent pour laisser la place à un étonnant chant à la gloire de l'union des corps, où tout « l'espace » physique de l'amour est rigoureusement décrit et parcouru : « Il a devant lui le front d'où semble venir la pensée, les yeux qu'il s'agira tout à l'heure de distraire de leur regard, la gorge dans laquelle se cailleront les sons, il a les seins et le fond de la bouche. Il a devant lui les plis inguinaux, les jambes qui couraient, la vapeur qui descend de leurs voiles, il a le plaisir de la neige qui tombe devant la fenêtre. La langue dessine les lèvres, joint les yeux, dresse les seins, creuse les aisselles, ouvre la fenêtre ; la bouche attire la chair de toutes ses forces, elle sombre dans un baiser errant, elle remplace la bouche qu'elle a prise, c'est le mélange du jour et de la nuit. Les bras et les cuisses de l'homme sont liés aux bras et aux cuisses de la femme, le vent se mêle à la fumée, les mains prennent l'empreinte des désirs. » Et c'est dans un langage plus beau que celui de l'Orient que Breton et Eluard désignent *poétiquement* les diverses postures amoureuses dont ils font le méticuleux répertoire. Les mots se parent de la troublante et radieuse beauté de l'emblème, de l'allégorie, du symbole : « La silhouette pâle de l'étoile dans la fenêtre a brûlé le rideau du jour. »

Eluard a exalté avec une intense ferveur le désir humain, et s'il a salué comme tous les Surréalistes l'œuvre du Marquis de Sade, c'est précisément parce qu'il trouvait en elle l'expression suprême d'une révolte de ce désir contre tout ce qui lui impose une limite ou un obstacle, la société, les lois, la religion, la morale : « Sade a voulu redonner à l'homme civilisé la force de ses instincts primitifs, il a voulu délivrer l'imagination amoureuse de ses propres objets. Il a cru que de là, et de là seulement, naîtra la véritable égalité... La morale chrétienne, avec laquelle il faut souvent, avec désespoir et honte, s'avouer qu'on n'est pas près d'en finir, est une galère. Contre elle, tous les appétits du corps imaginant s'insurgent. Combien faudra-t-il encore hurler, se démener, pleurer avant que les figures de l'amour deviennent les figures de la facilité, de la liberté ? » Tous ceux qui ont connu Eluard savent d'ailleurs que son érotique personnelle était libre et peu conformiste, qu'elle était volontiers une érotique du regard et de la participation. Et il suffit de relire les poèmes de *Corps mémorable* pour comprendre sur quelle conscience aiguë de la réalité du corps féminin repose chez lui le vertige de l'amour :

> Et tu te fends comme un fruit mûr ô savoureuse
> Mouvement bien en vue spectacle humide et lisse
> Gouffre franchi très bas en volant lourdement
> Je suis partout en toi partout où bat ton sang
> . . . .
> Car où commence un corps je prends forme et conscience
> Et même quand un corps se défait dans la mort
> Je gis en son creuset j'épouse son tourment
> Son infamie honore et mon cœur et la vie.

C'est sans doute parce qu'il avait des racines aussi concrètes que son sens de l'amour s'est maintenu intact, inentamable à travers toute sa vie et toute son œuvre. Les revendications qu'il exprimait à l'époque des confrontations surréalistes, il les exprime dans les dernières années de son existence avec la même force, la même obstination, la même intransigeance. Et sa confiance en l'amour, il la proclame avec la même certitude. Deux textes méritent d'être cités, qui témoignent l'un et l'autre de la persévérance d'Eluard dans son credo amoureux, qui montrent qu'à la fin de sa vie il était resté parfaitement fidèle aux révélations que lui avait apportées le surréalisme. Il s'agit de l'admirable *Dit de la force de l'amour* qu'il écrivit en 1947 pour l'ouverture d'une émission de radio (« Parlez, les mots d'amour sont des caresses fécondantes. Les autres mots ne sont là que pour la commodité de la vie. Aimer, c'est l'unique raison de vivre. Et la raison de la raison, la raison du bonheur... Ce que prouvent les poèmes d'amour, c'est que peu importe le temps dans la vie d'un homme, pourvu qu'il ait su dire son amour, car l'amour est la seule victoire, celle qui perpétue l'espérance. L'homme revit et survit par l'amour. Son cœur et son visage vieillissent, mais l'image des baisers échangés se reproduit toujours semblable, exaltée, exaltante, laissant ouvertes toutes grandes les portes du commun échange par lesquelles entrent en se pressant les promesses de l'avenir, les assurances de l'éternité. ») et d'un autre texte, *les Prestiges de l'amour,* présenté également à la radio — en 1949 — avant d'entrer dans *les Sentiers et les routes de la poésie.* Ce dernier texte est d'ailleurs un document étonnant car il a la forme d'une sorte de montage où Eluard, plutôt que de prendre la parole lui-même, laisse s'exprimer librement ce qu'on pourrait appeler l'expérience amoureuse universelle à travers des témoignages passionnés, des lettres d'amour remarquablement choisies et juxtaposées : lettres de la Religieuse Portugaise, lettre de Bonaparte à Joséphine, lettre de Bettina Brentano à Gœthe, lettre de Nerval à Jenny Colon, lettre de Juliette Drouet à Victor Hugo, lettre de Baudelaire à Madame Sabatier, lettre d'une inconnue à un soldat sur le front pendant la guerre. De ce concert s'élève comme une unique voix qui semble porter toujours plus loin et toujours plus haut cette vérité essentielle qu'Eluard formule avec gravité dans son introduction : « Toute déclaration d'amour comporte une certaine gloire. Elle implique le respect. Toute caresse, qu'elle soit du corps ou du langage, est sacrée. » L'amour éluardien, tel qu'il semble se définir à travers cette suite de textes, est donc d'abord un amour qui s'exprime : s'il a la force obscure, la puissance onirique de l'*amour fou* de Breton, il cherche tout de même sans cesse un principe de *raison,* une forme qui le tempère et lui impose un ordre, une parole qui le porte.

2. L'ÉCHANGE : LE LANGAGE

Caresse du corps ou du langage. Il est bien clair que pour Eluard le passage se fait sans hiatus. Car au fond tout se situe dans un même milieu, qui est la *transparence*. Cette notion souvent mise en avant à propos de la poésie éluardienne, il faut bien voir ce qu'elle signifie. Elle fait allusion à ce qu'on pourrait appeler le rôle du *visible* dans tout acte de communication, qu'il soit le fait de l'amour ou de l'écriture. L'espace commun de l'amour et du langage est un espace de l'échange. L'unité de tous les comportements d'Eluard, tant sur le plan proprement érotique que sur le plan « poétique » (et même, au-delà, sur le plan spirituel ou même métaphysique) tient à cela. Elle est liée à certaines structures très précises de son esprit et de sa sensibilité qui se manifestent à chaque étape de son œuvre, que son inspiratrice soit Gala, Nusch ou Dominique ou une autre femme (ou même n'importe quelle figure abstraite de *la* femme). Toujours l'acte d'aimer se confond pour lui avec l'acte de voir, parce qu'il implique l'existence d'un milieu translucide où les regards se croisent et où se tracera aussi le poème. Georges Poulet a montré que *Poésie ininterrompue* s'ouvre sur une clarté première, sur une saisie du jour de la lumière originelle, et que tout un monde de l'innocence et de la transparence est posé en quelques images comme le lieu même de la révélation amoureuse [1]. Monde des miroirs, monde des *yeux fertiles,* monde de la connaissance immédiate et de la nécessaire réciprocité. L'amour ne peut être que la reconnaissance du visible, parce que le visible est ce qui fonde la forme la plus directe, la plus riche et la plus accomplie de la communication. Aussi le regard est-il pour Eluard le moyen par excellence de communiquer et d'aimer. Il n'est autre chose que la manifestation concrète de ce principe d'échange dans lequel il aperçoit la source de toutes nos relations avec le monde réel, donc en particulier avec l'être aimé. Regarder sera conforme à l'or-

1. Georges Poulet, « Eluard », in *le Point de départ (Etudes sur le temps humain, III)*, éd. Plon.

dre du désir aussi bien qu'à celui de l'amour et de la fraternité. Conforme à l'ordre du désir, parce que l'émotion et la connaissance érotiques reposent sur un transfert du visuel au charnel. Conforme à l'ordre de l'amour, parce qu'aimer, c'est instaurer entre soi et autrui une totale visibilité. Conforme à l'ordre de la fraternité, parce que la fraternité humaine ne peut être que lumineuse réciprocité. Mais conforme également à l'ordre du langage, parce que l'expérience du langage est elle aussi une découverte progressive des possibilités d'échange et de « circulation » qui se jouent à l'intérieur de la parole. Là aussi se réalise une lente conquête du *visible*.

Il faut pour en juger prendre la réflexion d'Eluard à son origine. C'est-à-dire essayer de voir selon quel itinéraire, par quelles étapes successives, s'est accompli cet accès à la transparence de l'écriture. Le mieux, sans doute, est de partir d'Eluard dadaïste. Dans le numéro de décembre 1920 de *Littérature* sont publiées les conclusions d'un colloque où diverses questions chères à Dada ont fait l'objet d'une discussion, puis d'un vote. Une de ces questions est : *le langage peut-il être un but ?* Et la réponse : *Non, à l'unanimité, moins une voix (Eluard).* Si Eluard ne mêle pas son vote à celui de ses amis, c'est qu'il se sent placé en face d'un problème fondamental. Il le résout en tranchant dans le vif : son oui est une belle audace et un merveilleux pari. A la même époque pourtant, dans la préface de son recueil *les Animaux et leurs Hommes*, il écrit : « Et le langage déplaisant qui suffit aux bavards, langage aussi mort que les couronnes à nos fronts semblables, réduisons-le, transformons-le en un langage charmant, véritable, de commun échange entre nous. » Les précisions sont d'importance : le langage sera peut-être un but, mais à condition que ce soit un langage *transformé,* non point cette parole morte et épuisée qui n'est plus que bavardage, mais une parole d'*échange*, c'est-à-dire de communication vraie. Sans doute est-ce cette conviction qui éclaire et explique ces lignes étonnantes de *Donner à voir* : « Je n'invente pas les mots. Mais j'invente des objets, des êtres, des événements et mes sens sont capables de les percevoir. Je me crée des sentiments. » En apparence, c'est le contraire de la déclaration de décembre 1920. En réalité, c'en est la confirmation.

Pour Eluard en effet, dire que le langage est un but n'est pas le séparer de ce qu'il exprime. Pour lui, les *mots* sont une réalité vivante, ils ont un pouvoir créateur, une présence fécondante. Paradoxalement ils ne prennent tout leur poids que lorsqu'ils sont légers, lorsqu'ils sont libres, lorsqu'ils tournoient, lancés comme le grain. Eluard aime les prononcer, les entendre, en sentir la beauté, la simplicité, l'innocence, la chaleur

> Il y a des mots qui font vivre
> Et ce sont des mots innocents
> Le mot chaleur le mot confiance
> Amour justice et le mot liberté
> Le mot enfant et le mot gentillesse
> Et certains noms de fleurs et certains noms de fruits
> Le mot courage et le mot découvrir
> Et le mot frère et le mot camarade
> Et certains noms de pays de villages
> Et certains noms de femmes et d'amis

Il aime aussi en approcher le mystère :

> Les mots qui me sont interdits me sont obscurs
> Mais les mots qui me sont permis que cachent-ils
> Les mots concrets
> D'où viennent-ils vers moi
> Sur ce flot d'abstractions
> Toujours le même
> Qui me submerge...

L'idée des « mots interdits » qui est exprimée dans ce texte est d'ailleurs de celles qui préoccupent, qui obsèdent Eluard. Elle prend une forme particulièrement saisissante dans le poème *Quelques-uns des mots qui jusqu'ici m'étaient mystérieusement interdits (Cours naturel,* 1938) qu'il dédie à André Breton : le poète voit ou plutôt entend tout d'un coup des mots prendre forme, existence, consistance devant lui, se charger d'un sens, d'abord obscur, puis de mieux en mieux formulé, qui n'est pas leur sens littéral, mais un sens gonflé de toutes leurs vibrations, de toutes leurs résonances secrètes. Les mots alors se lèvent, naissent véritablement devant lui, et cette naissance de la parole est comme une libération, la levée d'un interdit. Les mots exilés révèlent leur charge de « merveille » :

Myrtille lave galon cigare
Léthargie bleuet cirque fusion
Combien reste-t-il de ces mots
Qui ne menaient à rien
Mots merveilleux comme les autres
O mon empire d'homme
Mots que j'écris ici
Contre toute évidence
Avec le grand souci
De tout dire.

Peut-être n'est-il pas de plus belle allégorie de l'apparition de la poésie que cet « accueil » réservé aux mots, cette chance qui leur est donnée de s'accomplir, de se faire écouter, de *gagner*. Car Eluard, dans une petite phrase qui devait être retenue comme sa définition du langage dans le *Dictionnaire abrégé du surréalisme* de 1938, disait : « Il nous faut peu de mots pour exprimer l'essentiel, il nous faut tous les mots pour le rendre réel... » Les mots gagnent. Les *mots* éluardiens sont en un sens le contraire des *mots* sartriens : loin de prendre la densité des choses, ils lancent aux choses une constante invitation à s'alléger, à se multiplier, à se recréer : ils sont une perpétuelle promesse que la vocation du poète est de tenir.

Aussi ne s'étonnera-t-on pas de constater que toute une période de l'activité poétique d'Eluard a été une période de recherche systématique et presque d'expérimentation sur les mots. Il s'agit précisément de sa période dadaïste, dont l'extrême importance doit être soulignée aujourd'hui. Elle a le sens d'une « propédeutique » de la poésie, d'une suite de travaux pratiques caractérisés par une volonté très consciente de soumettre le langage à toutes les provocations, les sollicitations possibles, de lui donner toutes ses chances, de le rendre totalement libre. Cela a pu paraître, pendant assez longtemps, un jeu ou un exercice gratuit. Aujourd'hui on aurait plutôt l'impression de la découverte d'une méthode poétique, d'un ensemble de prospections menées systématiquement dans les domaines linguistique, sémantique et syntaxique. La naissance de *Proverbe* en 1920 atteste formellement ce goût d'Eluard pour les problèmes du langage. André Breton, dans ses *Entretiens,* insiste sur l'influence qu'il a pu recevoir très tôt, à ce sujet, de Jean Paulhan : « Eluard, avant de devenir le nôtre, est l'ami de Jean Paulhan et il participera longtemps des préoccupations de celui-ci : il cultivera sur le plan poétique ses savantes objections en matière de langage. » Michel Sanouillet rappelle cela dans son ouvrage *Dada à Paris,* et confirme que cette influence a été capitale : « C'est du reste par Paulhan que Paul Eluard fut mis en rapport avec le groupe *Littérature,* en avril ou mai 1919. Il fut immédiatement adopté et se lança lui-même à corps perdu dans l'aventure [1]. » *Proverbe* se présente comme une feuille mensuelle qui ne veut exister « que pour justifier les mots ». Le premier numéro (1er février 1920) porte en exergue ces vers d'Apollinaire :

> O bouches l'homme est à la recherche d'un nouveau langage
> Auquel le grammairien d'aucune langue n'aura rien à dire.

Eluard, dans diverses lettres à Tzara, précise ses intentions : « Il va s'agir jusqu'à nouvel ordre de montrer que la langue française (et l'expression de la pensée naturellement) n'est plus un instrument littéraire » (19 décembre 1919), « Nous humilierons la parole de bonne façon » (3 janvier 1920). Pour cela, tous les moyens sont bons, y compris les « exercices de style » les plus délibérés. Dans le numéro 2 de la revue, Eluard ridiculisait une phrase parue dans *l'Intransigeant* au sujet de Dada en opérant sur elle une série de variations méthodiques :

> Il faut violer les règles, oui, mais pour les violer, il faut les connaître.
> Il faut connaître les règles, oui, mais pour les connaître, il faut les violer.
> Il faut régler la connaissance, oui, mais pour la régler, il faut la violer.
> Il faut régler les viols, oui, mais pour les régler, il faut les connaître.
> Il faut connaître les viols, oui, mais pour les connaître, il faut les régler.
> Il faut violer la connaissance, oui, mais pour la violer, il faut la régler.

1. Michel Sanouillet, *Dada à Paris,* éd. J. J. Pauvert, 1967.

Ce goût des séries, des déplacements de termes, de toutes les formes de « combinatoire » du langage qui conduisent à situer les mots d'une phrase sur des plans associatifs différents, nous allons le retrouver, plus vif et plus affirmé encore, dans les *152 Proverbes mis au goût du jour* qu'Eluard publie en 1925 en collaboration avec Benjamin Péret. La structure du proverbe l'a toujours fasciné, lui a toujours paru singulièrement riche de possibilités créatrices et d'un pouvoir spontané d'*invention.* Elle offre un merveilleux terrain à ce travail de laboratoire, aussi froid, précis et patient que celui dont Raymond Roussel donnera la clé dans *Comment j'ai écrit certains de mes livres,* qui consiste à utiliser toutes les formes possibles de renversement des termes, de jeux de mots, d'appels de sonorités, pour donner à des lieux communs une force de dérision, insolite et nouvelle, ou une vertigineuse gratuité d'où jaillit la lumière poétique. Le déplacement du son entraîne celui du sens (ou inversement), un métagramme ruine ou renverse un message tout en en gardant la ligne sentencieuse, l'assonance provoque l'absurde, l'attente de l'oreille est tout ensemble déçue et comblée. Le langage est pris au piège, mais il est affronté à sa liberté et à sa vérité : « Jamais une erreur. Les mots ne mentent pas. » Citons quelques exemples de ces jeux de langage :

> Il faut battre sa mère pendant qu'elle est jeune.
> La métrite adoucit les flirts.
> A quelque rose chasseur est bon.
> Les grands oiseaux font les petites persiennes.
> Il faut rendre à la paille ce qui appartient à la poutre.
> Il n'y a pas de cheveux sans rides.
> Le sang c'est de l'argent.
> Le son c'est la Beauce.
> Viande froide n'éteint pas le feu.
> Une femme nue est bientôt amoureuse.

Là encore, Jean Paulhan a été d'une perspicacité remarquable en décelant que ces proverbes étaient déjà des étapes décisives sur la grande route de l'invention poétique où s'engageait Eluard : « Pour les proverbes, exemples et autres mots à jamais marqués d'une première trouvaille, combien ce vide autour d'eux les fait plus absurdes et purs, pareillement difficiles à inventer, à maintenir.

J'aime que Paul Eluard les reçoive tels, ou les recherche. Ensuite commencent ses poèmes » (Préface aux *Nécessités de la vie*).

Autre étape : *l'Immaculée Conception,* qu'il publie en 1930 avec André Breton. Cette année est d'ailleurs marquée par son sens très vif de la collaboration dans les travaux sur le langage, de la mise en commun de la pratique poétique, puisque c'est aussi celle de *Ralentir Travaux,* recueil de trente poèmes qu'il compose avec Breton et René Char. *L'Immaculée Conception* est révélatrice du passage qui s'opère dans son esprit des préoccupations dadaïstes aux préoccupations surréalistes. Cette suite de grands textes montre qu'il s'agit moins désormais de jouer du langage que de le « dresser poétiquement ». Il aidera la conscience à se mettre en sommeil pour la conduire à éprouver sa liberté profonde, à exprimer tout ce qu'elle recèle à la fois d'obscure nuit et d'éblouissante lumière. L'expérimentation intervient cette fois au niveau de la formulation de l'irrationnel. Il s'agit non seulement d'inscrire l'indicible dans la fulguration des images et des mots, il faut encore montrer qu'il est au pouvoir de l'esprit de l'homme « de reproduire dans ses grands traits les manifestations verbales les plus paradoxales, les plus excentriques, qu'il est au pouvoir de cet esprit de se soumettre à volonté les principales idées délirantes sans qu'il y aille pour lui d'un trouble durable, sans que cela soit susceptible de compromettre en rien sa *faculté* d'équilibre ». Une série d'écrits s'offriront comme *essais de simulation* de la débilité mentale, de la manie aiguë, de la paralysie générale, du délire d'interprétation, de la démence précoce. Le dernier d'entre eux ira aussi loin qu'il est possible dans la désintégration du langage, substituant progressivement à l'enchaînement irrationnel des images, l'enchaînement irrationnel des mots, puis l'enchaînement irrationnel des sons : « Sous la férule des corrégidors qui marmottent de viges les sumares d'irdienne je passe le soir dans des bocaux sous l'argère des pimons. » Peu à peu se forment des phrases de mots inventés, qui font songer à Michaux : « Les tarières se racaquent ombellifèrantes avec les fers à cheval dans la crèche mouillée et les fracceux endentent les cadetsrousses », ou : « Lorsque je me cape de pied en cap pour être le hêtre, l'avant-nom, le contre-nom, l'entre-nom et le Parthénon me prière et je dis non et canon et je tire et l'obus ricille et va se perdre en moi et en moi et percute en moi. » Puis le calembour, le jeu de mots, le terme fabriqué se désintègrent eux-mêmes et il n'y a plus de place que pour l'inarticulé, l'onomatopée, le son en folie : « U vraïli ouabi bencirog plaïol fernaca gla...lanco » (avec, çà et là, d'étonnants éclairs, comme : « L'X exaspaltère le feu de Seltz »). Notons cependant que *l'Immaculée Conception* n'offre pas que cela, mais aussi, comme nous l'avons vu, d'admirables textes où l'amour surréaliste est *dit* dans le plus juste des langages. Mais c'est toujours le libre jeu des mots, le souverain automatisme de l'écriture qui guide et enveloppe la pensée.

Sur le rôle de l'écriture automatique, considérée dans ses rapports avec l'exploration du surréel, Eluard s'est d'ailleurs prononcé avec la plus grande clarté dans sa préface à *la Sauterelle arthritique* que Gisèle Prassinos écrivait à quatorze ans : « L'écriture automatique ouvre sans cesse de nouvelles portes sur l'inconscient et au fur et à mesure qu'elle le confronte avec la conscience, avec le monde, elle en augmente le trésor. Elle pourrait aussi, dans la même mesure, renouveler cette conscience et ce monde, si, délivrés des conditions atroces qui leur sont imposées, ils pesaient moins lourdement sur l'individu. La preuve en est qu'en lisant les textes de cette fillette de quatorze ans, on y voit apparaître une morale qu'un humour lugubre tient en laisse. Morale de dissociation, de suppression, de négation, de révolte, morale des enfants, des poètes qui se refusent à acquérir et qui resteront des phénomènes tant qu'ils n'auront pas redonné à tous les hommes l'envie de regarder en face ce qui les sépare d'eux-mêmes. » Très beau texte qui montre que la libération du langage n'est rien d'autre pour Eluard qu'une forme d'exploration de toutes les chances de changer la vie. Les jeux de hasard auxquels il soumet la parole ne sont jamais gratuits en ce sens qu'ils cherchent toujours à créer la possibilité de nouvelles *lectures* de la réalité.

Même dans ses périodes de combat, même dans les moments les plus engagés de sa poésie, il gardera ce goût de l'interrogation expérimentale du langage. Rien ne le montre mieux que ce livre publié en 1942, *Poésie involontaire et Poésie intentionnelle,* où il tente de mettre en parallèle les plus hauts énoncés poétiques et les hasards d'une poésie née des rencontres de mots ou de phrases, les plus banales en même temps que les plus imprévues, que l'on peut trouver dans n'importe quel écrit ou dans n'importe quel propos.

Cet « album » est l'exemple le plus parfait de ce qu'on pourrait appeler une littérature de *citations*, une écriture nouvelle s'y développant à partir d'une écriture ancienne ou plutôt un langage ancien s'y chargeant d'un pouvoir nouveau sous l'effet d'une « intention » nouvelle : le poète se livre à une sorte de collage, de montage, où l'insolite et le merveilleux jaillissent à tout moment d'une phrase isolée de son contexte, mise au contact d'une autre, placée dans une lumière inattendue. « Le poète, dit Eluard, à l'affût des obscures nouvelles du monde, nous rendra les délices du langage le plus pur, celui de l'homme de la rue et du sage, de la femme, de l'enfant et du fou. Si l'on voulait, il n'y aurait que des merveilles. » Cette conception, si passionnément défendue par lui dans la préface de son livre, d'une poésie involontaire, impersonnelle, appartenant à tous, née du commun usage de la parole (et illustrant le mot de Lautréamont qu'il aimait tant : « La poésie doit être faite par tous, non par un ») est une des clés de la relation qu'il établit sans cesse entre le langage et le réel : « Les hommes ont dévoré un dictionnaire et ce qu'ils nomment existe. L'innommable, la fin de tout ne commence qu'aux frontières de la mort impensable. Peu importe celui qui parle et peu importe même ce qu'il dit. Le langage est commun à tous les hommes et ce ne sont pas les différences de langue, si nuisibles qu'elles nous apparaissent, qui risquent de compromettre gravement l'unité humaine, mais bien plutôt cet interdit toujours formulé, au moins au nom de la raison pratique, contre la liberté absolue de la parole... La poésie involontaire, si banale, si imparfaite, si grossière soit-elle, est faite des rapports entre la vie et le monde, entre le rêve et l'amour, entre l'amour et la nécessité. » Aussi, juxtapose-t-il des phrases de Raymond Roussel, des citations d'un dictionnaire d'argot, des fragments de comptines, des extraits d'un fait divers relaté par la presse, des déclarations de malades interrogés par Jacques Lacan, de simples noms de fleurs, dans une anthologie d'un singulier non-conformisme, mais d'un prodigieux pouvoir créateur (ou re-créateur).

Le goût de l'anthologie a d'ailleurs toujours été une des composantes de l'activité poétique d'Eluard. Choisir et rassembler des textes pour en faire un livre n'est pas pour lui une opération fondamentalement différente de celle qui consiste à choisir et à rassembler les mots pour en faire un poème. On retrouve là cette conviction qu'une œuvre personnelle peut s'édifier sur un langage premier et sur une lecture. L'anthologie qu'il intitula *Le meilleur choix de poèmes est celui que l'on fait pour soi* (1947) indique assez — par ce titre même — que la recherche anthologique peut avoir le sens d'une recherche de soi-même, que le poète peut lire *son* œuvre dans les œuvres des autres. Eluard semble avoir été particulièrement attiré par ce genre de travail dans les dernières années de sa vie. Etait-ce le besoin de revivifier ses forces créatrices au contact de la création universelle ? Etait-ce le désir de gommer son individualité poétique dans un effort de participation à la commune expérience des poètes ou des peintres ? Il choisit à ce moment-là la voie de la *culture* comme complément, peut-être même achèvement, d'une poursuite « naturelle » de la poésie (et sans doute en effet a-t-il réduit mieux que personne l'opposition nature-culture). L'on sait ce que représente à cet égard la *Première Anthologie vivante de la poésie du passé* qu'il publia une année avant sa mort : cet ouvrage n'est sans doute pas le monument d'érudition qu'on a voulu parfois y voir (elle puise largement dans des anthologies déjà existantes, et en particulier dans celle de Fernand Mazade), mais elle est certainement un chef-d'œuvre de lecture, de ressourcement culturel. A travers tous les poètes qu'il retrouve, notamment du XIIe au XVIe siècle, Eluard déchiffre et recompose sa propre poésie. Paul Zumthor a noté justement à ce sujet : « Accoler au nom d'Eluard celui d'Adam de la Halle prête à sourire : moyens d'expression, façons de sentir, tout sépare, semble-t-il, ces poètes. Pourtant, en dépit de ces grandes différences, qui de nous n'a pas éprouvé un jour l'illumination produite par un vers du XIIe, du XIIIe siècle, où soudain, merveilleusement, pour reprendre l'image d'Henri Brémond, ‘ le courant passe ’ ? Cette expérience, quoiqu'elle ait peu de valeur discriminatoire en elle-même, suggère que l'acte poétique, au cours des siècles, n'a point changé de manière radicale [1]. » De la même façon, l'acte de peindre ne peut changer radicalement de sens, et lorsque Eluard travaille à son *Anthologie des écrits sur l'art,* c'est dans la conviction que tout ce qui a été dit sur la peinture doit aider l'artiste à prendre conscience de « son âme ancienne, son âme héréditaire qui s'éparpille sur son

1. Paul Zumthor, « Poésie médiévale et poésie moderne », *Cahiers du Sud,* n° 372.

chemin ». Dans le moindre geste de Picasso, il y a tout l'effort et tout le « feu » de tous ceux qui l'ont précédé : « Leur énorme travail, à travers les siècles, se joint à ce désir de dominer le temps qui se fait jour dans la précipitation, dans la cadence folle de la main de Picasso. » Cela, pour la poésie, est résumé dans la petite phrase, décisive : « Nous parlons à partir des premières paroles. »

Et pourtant la parole éluardienne est aussi la plus neuve, la plus pure, la plus « originelle » qui soit. Elle semble naître de rien d'autre que d'elle-même, n'aller à rien d'autre qu'à elle-même. Elle réalise ce paradoxe d'être constamment recommencée, sans cesse efflorescente et jaillissante, sans jamais devenir surabondante. Nue et transparente, elle peut être heurtée, brisée, discontinue : elle donne pourtant l'impression de se développer naturellement, sans reprise, sans rature, à la manière d'un trait continu, comme « tracé au fil de la plume », selon les règles de ce *nuevo arte de escribir* que Picasso disait avoir hérité très tôt des calligraphes espagnols du XVIIe siècle (et qu'il retrouvait dans les dessins formés par des enfants sur le sable des plages de Malaga). C'est dire que la *facilité* paraît être son principe. Pas d'erreur sur ce terme : il ne signifie pas ici absence d'effort, ni de recherche, ni de discipline poétique. Quand Eluard emploie l'adjectif *facile* (c'est le titre d'un de ses livres, en 1935), il désigne ce qu'il y a de miraculeusement immédiat et de merveilleusement simple dans l'adhésion de sa parole à sa recherche. Il désigne ce qu'il y a de plus vrai, de plus pur et de plus constant en lui-même. André Pieyre de Mandiargues a insisté, avec juste raison, sur ce point : « Facilité, dis-je, me voilà ramené tout droit à Eluard. En effet, des mots de cette ardente langue française, qui jamais ne fut aussi femme que lorsque c'était lui qui la couchait sur le papier, il en est peu qui lui appartiennent autant que celui-là, sous la forme surtout de l'adjectif dérivé. Dans *Capitale de la douleur,* de 1926, dès les premières pages nous lisons :

J'ai la beauté facile et c'est heureux

puis, un peu plus loin, ce court poème :

Pendant qu'il est facile
Et pendant qu'elle est gaie
Allons nous habiller et nous déshabiller

qui pose une énigme amusante à résoudre (sans trop de peine !). Ouvrons *l'Amour la Poésie*, voici :

Elle est fière d'être facile [1]...

Il est d'ailleurs aisé de voir que l'idée de facilité rejoint celle d'*évidence* à laquelle Eluard a toujours été exceptionnellement sensible. N'oublions pas cependant que le célèbre texte de *Donner à voir* qui s'intitule *l'Evidence poétique* (et qui est une suite de fragments de la conférence qu'Eluard avait prononcée à Londres, en juin 1936, à l'occasion de l'Exposition surréaliste organisée par Roland Penrose) fait allusion à l'évidence de l'activité poétique — telle que les surréalistes pouvaient la concevoir — beaucoup plus qu'à l'évidence de l'écriture. Le thème principal, repris sous toutes sortes de formes, en est celui de la libération de l'esprit, des droits inaliénables de l'imagination et de la pensée en face des contraintes d'une société à nier ou à détruire. Mais cette révolte, cette rupture, se résout en clarté et en lumière, et l'on sent bien que la maîtrise heureuse, l'apaisement de la parole, peut-être même le silence, sont en définitive la seule chance de réalisation totale offerte à la violence d'une pensée délivrée de ses limites : « Les poèmes ont toujours de grandes marges blanches, de grandes marges de silence où la mémoire ardente se consume pour recréer un délire sans passé. Telle est la logique de l'*évidence*. Elle conduit, selon un itinéraire irrécusable, de la beauté convulsive à la beauté facile. »

Il faut donc apprendre à lire la poésie d'Eluard dans ses blancs et dans ses silences. Ce qui n'est pas si difficile, car c'est une poésie qui se tait autant qu'elle parle. Rien ne lui est plus étranger que la rhétorique, sous quelque aspect que ce soit. Rien ne lui est plus étranger même que la *syntaxe*, dans la mesure où la pure continuité des messages visuels et sonores s'y substitue à tout arrangement constructif de la phrase. La forme qu'elle affecte le plus volontiers est celle du simple *énoncé*. Elle nomme, elle dit, elle désigne. On sait quel est le prestige et le pouvoir pour Eluard des tours du type « Je te l'ai dit... » ou « J'écris ton nom » où l'inscription poétique

1. A. Pieyre de Mandiargues, préface à *Capitale de la douleur*, coll. « Poésie », éd. Gallimard.

se réduit à son mouvement le plus simple et le plus élémentaire. Tant de poètes en ont usé depuis, que ce langage nous paraît aujourd'hui celui même de la poésie, mais gardons-nous d'oublier qu'Eluard se l'est donné à partir des expériences que lui apportait le surréalisme : celles de l'énumération, de l'inventaire d'images, de la libre juxtaposition des sons et des sens, du collage des formes, des automatismes de l'expression, toutes entreprises propres à déstructurer profondément la phrase dans son ordonnance syntactique pour enrichir son potentiel de pure énonciation. Et cela n'a pu se faire que parce que la relation du poète au monde, sa vision du réel l'exigeaient ainsi. Eluard est le parfait représentant d'une situation où l'écriture poétique doit être considérée comme le mouvement constitutif même de la vision de « l'Etre au monde », pour reprendre la belle expression de Jacques Garelli [1]. N'importe lequel de ses textes le prouve. Prenons un de ses morceaux les plus anciens, l'admirable *Baigneuse du clair au sombre* — tiré de *les Nécessités de la vie et les Conséquences des rêves* (1921), lisons-le :

> L'après-midi du même jour. Légère, tu bouges et légers, le sable et la mer bougent.
>
> Nous admirons l'ordre des choses, l'ordre des pierres, l'ordre des clartés, l'ordre des heures. Mais cette ombre qui disparaît et cet élément douloureux, qui disparaît.
>
> Le soir, la noblesse fait partie de ce ciel. Ici, tout se blottit dans un feu qui s'éteint.
>
> Le soir. La mer n'a plus de lumières et, comme aux temps anciens, tu pourrais dormir dans la mer.

Ce texte nous frappe d'abord en ceci qu'en dépit de son évidente et riche tonalité poétique (immédiatement perceptible), il n'est pas un poème : il est une suite de phrases de prose *posées* (légèrement, mais avec précision) les unes à la suite des autres. Plusieurs de ces phrases sont purement nominales, se bornant à « inscrire » une indication temporelle. L'une d'entre elles (*Mais cette ombre...*), lestée d'une structure relative, a le poids étrange, insolite de son inaccomplissement. Une phrase mouvante et souple ne doit sa vivacité qu'à une construction segmentée *(Légère, tu bouges...)*. La répéti-

1. Jacques Garelli, *La Gravitation poétique*, 2ᵉ section, éd. Mercure de France.

tion de certains termes est comme un élément régulateur, pondérateur (*l'ordre des choses, l'ordre des pierres, l'ordre des clartés, l'ordre des heures*). Le temps et l'espace se résument dans de brèves notations-repères (*Le soir, Ici*). L' « affirmation » prend la forme de la constatation *(Nous admirons...)* ou de l'évidence par l'emploi du verbe le plus simple (*La mer n'a plus de lumières...*). Tout concourt à faire de ce texte le contraire absolu d'un enchaînement d'idées ou d'actes : la révélation, légère et pondérable à la fois, d'une présence. Le titre indique qu'il s'agit d'une vision comparable à celle que peut nous suggérer une toile impressionniste à la lumière changeante (on songe à certaines « baigneuses » de Bonnard). Or, comme un tableau, le poème ne fait que donner à voir et dire en silence : il n'articule pas.

Prenons maintenant un poème de la fin de la vie d'Eluard, *Semaine* — tiré du *Phénix* (1951). Transcrivons-en le début :

Les flots de la rivière
La croissance du ciel
Le vent la feuille et l'aile
Le regard la parole
Et le fait que je t'aime
Tout est mouvement.

Une bonne nouvelle
Arrive ce matin
Tu as rêvé de moi

Cette fois, il s'agit bien d'un poème. La disposition même des vers (presque tous hexasyllabes), l'ordonnance énumérative le montrent. Mais de ce poème, tout ce qui pourrait être lyrisme ou simple élan est banni. Les choses y sont dites et offertes au regard. Rien de plus. On entend d'abord le texte comme une suite de mots déposés sous nos yeux comme des objets (ce qui permet à Eluard d'assimiler un fait — « le fait que je t'aime » — à ces clairs objets de la nature), sans que le verbe dont ils seront le sujet nous paraisse nécessaire. Quand ce verbe arrivera, il n'impliquera aucun enchaînement rhétorique ou logique, il sera un simple constat d'existence, un « résumé » d'existence vivante, enfermé dans un tour rassemblant la série des sujets juxtaposés *(Tout est mouvement).* Suit l'annonce d'une « bonne nouvelle » : le poète se borne à prendre acte de sa réalité, à affirmer qu'elle est bien là, qu'elle *arrive*. Puis il la révèle, il la dévoile, il la *dit* (et l'absence de ponctuation, l'absence du signe « deux points » accentue ce qu'il y a de direct, de totalement transparent et « transmissible » dans cette révélation) : *Tu as rêvé de moi.*

Ces deux exemples montrent que la forme d'expression dont la poésie d'Eluard est la plus éloignée est le *discours*. Avec une parfaite constance, elle fuit tout ce qui peut architecturer la phrase, lui donner une allure démonstrative ou éloquente, lui imposer une armature syntactique, si discrète soit-elle. Non seulement elle refuse les liens de subordination, les liens de coordination eux-mêmes lui paraissent superflus. Ce n'est pas un hasard si Eluard a eu une prédilection particulière pour le tour qui consiste à rapprocher, à juxtaposer deux substantifs sans les lier par une conjonction ni les séparer par un signe de ponctuation : *Le lit la table, L'amour la poésie*. Ces titres sont peut-être les plus claires « figures » de ce sens de la parole immédiate qu'il portait en lui, profondément.

Cette poésie du dépouillement grammatical, du respect des mots nus est nécessairement une poésie de l'ellipse. L'ellipse pourtant chez Eluard prend rarement la forme rapide et illuminante qu'elle prend chez René Char. Elle est simplement l'obscur dans le clair. En éliminant tout ce qui contraindrait la liberté native des mots et des images, le poète élimine aussi tout ce qui pourrait leur assurer une fausse cohésion. Les choses les plus simples, les plus évidentes ne se révèlent alors que dans une lecture innocente qui accepte que la limpidité se fasse énigme. Georges Mounin a montré d'une manière remarquable que le petit poème des *Mains libres* intitulé *Où se fabriquent les crayons* demeure obscur aussi longtemps que la relation du titre aux images reste arbitraire en raison de l'ellipse de sens sur laquelle est construite le texte (et qui est, dans une large mesure, un procédé de provocation surréaliste). On voit le tracé d'un vol d'hirondelles dans un ciel lumineux, on voit un village, des animaux familiers, on prête l'oreille au silence : la dure et bizarre image des crayons fabriqués, au seuil du poème, semble rendre tout cela inintelligible. Qu'on rapproche ces images d'un dessin-collage de Man Ray représentant un village, dans un paysage, dont le clocher est remplacé par un long crayon pointu et tout s'éclaire. Mais Eluard a choisi d'effacer « les quelques indices absolument nécessaires pour que le poème puisse encore être décodé comme un message univoque, les quelques indices indispensables pour que le lecteur identifie la situation qui lui permettait de se reconnaître par transparence dans une situation vécue inexprimablement par lui-même et pourtant exprimée par le poète [1] ». L'ellipse est ici particulièrement évidente, puisqu'elle est dans le hiatus qui sépare le poème de son titre, mais elle est présente sous des formes infiniment plus secrètes et subtiles dans les mille ruptures muettes, les mille déchirures invisibles, les mille courts-circuits silencieux qui font toute la poésie d'Eluard.

Il ne faudrait pourtant pas croire que cette poésie soit uniquement ou totalement celle du raccourci. Son équilibre, sa précision, cette espèce de justesse, de délicatesse de balance qui est si souvent la sienne, font qu'elle est à tout moment sur le point de pencher d'un côté ou de l'autre, du côté d'un lyrisme plus dénoué par exemple, ou inversement du côté de la chanson. On l'a bien vu dans la période de la Résistance où Eluard, soumis davantage aux pressions du réel, contraint à moins s'absorber dans une parole intériorisée, mesurée et immobile, a été exposé à la double tentation du chant de colère et du message scandé. Il lui arrive d'utiliser une sorte de verset, bien peu dans sa manière, pour donner à son langage l'élan, le mouvement de spirale qui évoquera un monde apocalyptique en même temps que l'infini de la détresse et de l'espoir :

> S'enlaçaient les domaines voûtés d'une aurore grise dans un pays gris, sans passions, timide,
> S'enlaçaient les cieux implacables, les mers interdites, les terres stériles,
> S'enlaçaient les galops inlassables de chevaux maigres, les rues où les voitures ne passaient plus, les chiens et les chats mourants...

Cet Eluard animé par un souffle presque prophétique existe et les accents auxquels il s'abandonne alors font mesurer tout ce qu'il y a de volontairement contenu, maîtrisé et mis en « blanc » dans sa parole habituelle. Inversement, dans cette époque où il ressent la

1. Georges Mounin, « La notion de situation en linguistique et la poésie », in *les Temps modernes,* n° 247, 1966 ; repris dans *la Communication poétique,* éd. Gallimard, 1969.

nécessité de s'adresser à ses contemporains, de les réveiller, de leur parler en face, il usera volontiers d'une forme de chanson syncopée, de poème-message d'un effet direct et facile, où l'on entend des coups frappés aux portes de l'inquiétude et de la nuit. C'est ce qui a rendu populaires des morceaux comme le célèbre *Couvre-Feu* :

> Que voulez-vous la porte était gardée
> Que voulez-vous nous étions enfermés
> Que voulez-vous la rue était barrée
> Que voulez-vous la ville était matée...

C'est ce qui a rendu populaire aussi *Liberté* où l'on entend à la fin de chaque strophe quatre petits coups qui peuvent faire penser aux indicatifs de la radio de Londres pendant la guerre. Tout cela pourrait s'inscrire dans une réflexion sur le langage « politique » d'Eluard, mais retenons pour l'instant ceci : sa poésie a pris, lorsque l'occasion lui en était donnée, des formes plus dénouées ou plus populaires et plus faciles, (jamais autant pourtant que celle d'Aragon) parce qu'elle est constamment en situation de rupture, ne se maintenant avec une parfaite aisance sur une ligne de crête que dans la mesure où rien ne bouscule et ne menace cette clarté du cœur et du regard dont elle se nourrit. Le privilège d'Eluard a été de vivre avec naturel et constance ces moments de poésie, mais il faut éviter de l'enfermer dans ce don.

On a tendance aussi à considérer que le registre dans lequel il est le plus à l'aise est celui du poème de dimension moyenne où le langage ni ne se condense ni ne se déploie. Et cela est certainement vrai dans une large mesure : il y a dans son œuvre une efflorescence de poèmes, comme il y a une efflorescence de livres, mais sans vaste construction ni longue trajectoire. On ne trouve pas chez lui ce sens de la « somme » ou de la « suite » qui caractérise parfois si fortement d'autres poètes. Pourtant, ce serait une erreur de penser qu'il n'a pas été sensible à la continuité de la poésie. Quoi de plus révélateur à cet égard que *Poésie ininterrompue* ? L'idée même que la poésie se présente comme une activité que rien n'interrompt parce qu'elle est associée au mouvement même de la vie et de l'expérience, qu'elle est partout, qu'elle appartient à tous, qu'elle s'exerce à tout moment, qu'elle n'a ni commencement ni fin, est déjà d'un dynamisme sans égal. Mais la certitude que possède le poète de l'unité de son chant, sa conviction de n'avoir jamais fait rien d'autre qu'écrire en poésie, indiquent qu'il se sent traversé par un courant, un flux, un souffle. Ce long poème décrit un itinéraire. Itinéraire qu'Eluard n'a cessé de parcourir et que son œuvre évoque de multiples façons : c'est celui qui conduit du monde rêvé au monde réel, de l'amour du couple à l'amour de tous, de la poésie égoïste à la poésie fraternelle, des illusions aux certitudes. Il est semé d'obstacles et de contradictions, mais il ne peut aboutir qu'à une conquête, une prise de possession du monde :

Je finirai bien par me retrouver
Au flot des rêves imposés
Je finirai bien par barrer la route
Nous prendrons possession du monde

Pour décrire cette marche, il fallait un ample poème moins symphonique que dialectique qui fût celui du dépassement. C'est dire que le texte devait être une manière de récit (ou récitatif) poétique (et curieusement, dans sa dédicace initiale, Eluard parle des *pages* de ce poème). Cela ne signifie pas qu'il intègre des éléments narratifs au sens propre du terme — la poésie d'Eluard reste irréductiblement étrangère à toute forme de narration —, mais il met en « parole » (comme on dirait : mettre en scène) des situations réelles, concrètes que la méditation poétique transcende sans jamais les nier. Et d'abord la première de toutes, la plus fondamentale : son amour humain pour Nusch, inscrit au fronton du poème et d'où jaillira le dialogue — dialogue entre le poète et la femme aimée — qui est précisément le moteur dialectique de l'œuvre. Dès lors sont drainés des éléments descriptifs, lyriques, oniriques, réalistes, satiriques qui tous entrent dans la « chaîne » (au sens textile du terme) du récit pour représenter la suite d'avancées, de reculs, de progrès, d'échecs, dont il est l'allégorie (on lira à ce sujet l'excellente « analyse » de *Poésie ininterrompue* par Michel Beaujour [1]). C'est cela qui fait ici qu'une voix ne s'interrompt pas, qu'elle est le prolongement et l'écho d'une sorte de voix plus ample et universelle, une voix sans origine, qui est à la fois celle du poète dans ses œuvres antérieures et celle de tous ceux qui l'ont précédé : la ligne

1. Numéro spécial d'*Europe* sur *Eluard*, n°s 403-404, novembre 1962.

de points qu'Eluard a placée au début de son texte est le signe de cette non-interruption.

Il fallait insister sur ce grand poème, parce qu'il est sans doute le seul dans l'œuvre d'Eluard qui implique à ce point l'idée d'une *composition.* Il se développe selon un ordre, selon des étapes. Il suppose une structuration non seulement du langage, mais de l'inspiration. Par là même il peut sembler contredire cette liberté, cette aisance, cette immédiateté, ce don d'improvisation qui caractérisent si souvent la poésie éluardienne. En fait il ne faut pas s'y tromper. Dialectique et « poétique » ne sont nullement deux voies opposées pour lui. Personne n'a davantage possédé une aptitude à transformer une ligne brisée en ligne pure. Et depuis les expériences de langage « éclaté » de dada jusqu'au droit langage de la maturité, la transformation n'a cessé de se faire dans l'harmonie : sans tension et au prix de nul sacrifice. Voilà pourquoi à tout moment, chez Eluard, les matériaux les plus divers de l'arsenal surréaliste se rencontrent, dispersés, fragmentaires, ponctuels et se trouvent en même temps reliés par le fil le plus pur, le plus clair, le plus net, jamais brisé. Voilà pourquoi chez ce poète du texte seul, instantané, offert, il y a aussi un sens exigeant de la poésie ininterrompue.

On voit qu'il serait illusoire de croire à un langage poétique « un », ou plutôt parfaitement unifié, chez Eluard. En revanche, ce qui ne fait aucun doute, c'est l'homogénéité de l'espace dans lequel ce langage s'inscrit. Homogénéité qui est fondamentalement celle du *visible,* du *lisible,* désigné comme le « lieu commun » de l'expérience érotique et de l'expérience scripturale. Le double et unique champ de l'intervention du désir.

Bibliographie

Nerval

ÉDITIONS

Gérard de Nerval, *Œuvres,* Bibliothèque de la Pléiade, éd. Gallimard.

t. I *Poésies, Petits Châteaux de Bohême, les Nuits d'octobre, Promenades et Souvenirs, les Filles du feu, la Pandora, Aurélia, Contes et Facéties, le Marquis de Fayolle, Lettres à Jenny Colon, Correspondance.* Texte établi, annoté et présenté par Albert Béguin et Jean Richer ; 1re éd., 1952 ; 2e éd., 1956 ; 3e éd., 1960 ; 4e éd., 1966.

t. II *Voyage en Orient, Lorely, Notes de voyage, les Illuminés.* Texte établi, annoté et présenté par les mêmes ; 1re éd., 1956 ; 2e éd., 1960 ; 3e éd., 1970.

Gérard de Nerval, *Œuvres complémentaires,* textes réunis, établis et présentés par Jean Richer, « Lettres modernes », éd. M.-J. Minard.

t. I *La Vie des lettres,* 1959.

t. II *La Vie du théâtre,* 1961.

t. III *Théâtre I : Piquillo, les Monténégrins,* 1965.

t. V *L'Imagier de Harlem,* 1967.

t. VI *Le Prince des sots,* 1960.

t. VIII *Variétés et fantaisies,* 1964.

On complétera utilement cet ensemble par les documents parus dans les *Archives nervaliennes,* chez le même éditeur.

Gérard de Nerval, *Œuvres,* texte établi, annoté et présenté par Henri Lemaître, 2 vol., éd. Garnier Frères, 1re éd., 1958.

Les Chimères

Gérard de Nerval, *Les Chimères,* exégèses de Jeanine Moulin, éd. Droz, 1949.

Gérard de Nerval, *Les Chimères,* édition critique par Jean Guillaume, Palais des Académies, Bruxelles, 1966.

La Pandora

Gérard de Nerval, *La Pandora,* édition critique par Jean Guillaume, Bibliothèque de la Faculté de philosophie et lettres de Namur, éd. J. Duculot, Gembloux, Belgique, 1968.

Aurélia

Gérard de Nerval, *Aurélia,* édition établie et présentée par Jean Richer, avec la collaboration de F. Constans, M.-L. Belleli, J.-W. Kneller, J. Senelier, « Lettres modernes », éd. M.-J. Minard, 1966.

Voyage en Orient

Gérard de Nerval, *Voyage en Orient,* édition critique par Gilbert Rouger, Imprimerie nationale de France et Bibliothèque des éditions Richelieu, 4 vol., 1950.

OUVRAGES CRITIQUES

Un instrument de recherche important : Jean Sénelier, *Gérard de Nerval, essai de bibliographie,* éd. Nizet, 1959.

Aristide Marie, *Gérard de Nerval,* éd. Hachette, 1915 ; rééd. 1955.

Pierre Audiat, *L'Aurélia de Gérard de Nerval,* éd. Champion, 1926.

Marcel Proust, « A propos du " style " de Flaubert », in *Chroniques,* éd. Gallimard, 1927.

— « Gérard de Nerval », in *Contre Sainte-Beuve,* éd. Gallimard, 1954 et coll. « Idées », 1968.

Albert Béguin, *Gérard de Nerval,* éd. Stock, 1937 ; édition plus complète, J. Corti, 1945.

Jean Richer, *Gérard de Nerval et les Doctrines ésotériques,* Le Griffon d'or, 1947.

L.-H. Sébillotte, *Le Secret de Gérard de Nerval,* éd. J. Corti, 1948.

Jean Richer, *Gérard de Nerval,* coll. « Poètes d'aujourd'hui », éd. Seghers, 1950 ; rééd. 1953, 1957, 1960.

R.-M. Albérès, *Gérard de Nerval,* éd. Universitaires, 1955.

Jean-Pierre Richard, « Géographie magique de Nerval », in *Poésie et Profondeur,* éd. du Seuil, 1955.

Marie-Jeanne Durry, *Gérard de Nerval et le Mythe,* éd. Flammarion, 1956.

Léon Cellier, *Gérard de Nerval, l'homme et l'œuvre,* coll. « Connaissance des lettres », éd. Hatier-Boivin, 1956.

— Préface aux *Filles du feu* et aux *Chimères,* éd. Garnier-Flammarion/poche, 1965.

Jean Gaulmier, *Gérard de Nerval et les Filles du feu,* éd. Nizet, 1956.

Charles Dédeyan, *Gérard de Nerval et l'Allemagne,* 3 vol., SEDES, 1957-1958.

Georges Poulet, « Nerval et le cercle onirique », in *les Métamorphoses du cercle,* éd. Plon, 1961.

Charles Mauron, « Nerval », chap. IV et IX *Des métaphores obsédantes au mythe personnel,* introduction à la psychocritique, éd. J. Corti, 1963.

Jean Richer, *Nerval, Expérience et Création,* éd. Hachette, 1964.

Raymond Jean, *Nerval par lui-même,* coll. « Ecrivains de toujours », éd. du Seuil, 1964.

Edouard Peyrouzet, *Gérard de Nerval inconnu,* éd. J. Corti, 1965.

Georges Poulet, « Sylvie ou la pensée de Gérard de Nerval » et « Nerval, Gautier et la blonde aux yeux noirs », in *Trois Essais de mythologie romantique,* éd. J. Corti, 1966.

Paul Bénichou, « Delfica et Myrtho », in *l'Ecrivain et ses Travaux,* éd. J. Corti, 1967.

— *Nerval et la Chanson folklorique,* éd. J. Corti, 1970.

Gérard Schaeffer, *Le Voyage en Orient de Nerval, études des structures,* coll. « Langages », éd. La Baconnière, Neuchâtel, 1967.

Kurt Schärer, *Thématique de Nerval,* coll. « Lettres modernes », éd. M.-J. Minard, 1968.

Pierre-Georges Castex, *Sylvie de Gérard de Nerval,* texte présenté et commenté, SEDES, 1969.

— *Aurélia de Gérard de Nerval,* texte présenté et commenté, SEDES, 1971.

On rappellera, du même, « Nerval et son drame », in *le Conte fantastique en France de Nodier à Maupassant,* éd. J. Corti, 1951.

Ross Chambers, *Nerval et la Poétique du voyage,* éd. J. Corti, 1969.

Jacques Géninasca, *Analyse structurale des Chimères,* coll. « Langages », éd. La Baconnière, Neuchâtel, 1971.

André Lebois, *Fabuleux Nerval,* éd. Denoël et l'Amitié par le livre, 1972.

Ajoutons que d'excellents articles ou ensembles d'articles ont été publiés dans des revues, comme *les Cahiers du Sud* (n° 292, 1948), *le Mercure de France,* où s'est exprimé notamment M. François Constans (avril et mai 1948, juin 1951, novembre 1952), *Romantisme* (nᵒˢ 1-2, 1971, article de Françoise Gaillard), *Europe* (n° 516, avril 1973).

Lautréamont

ÉDITIONS

Œuvres complètes du comte de Lautréamont, Isidore Ducasse ; *les Chants de Maldoror, Poésies, Lettres* ; avec les préfaces de L. Genonceaux, R. de Gourmont, éd. Jaloux, A. Breton, Ph. Soupault, J. Gracq, R. Caillois, M. Blanchot, et deux portraits imaginaires par S. Dali et F. Valotton, éd. J. Corti, 1953 ; rééd. en 1958, augmentée d'une bibliographie et de fac-similés.

Isidore Ducasse, *Œuvres complètes, les Chants de Maldoror* par le comte de Lautréamont, *Poésies, Lettres ;* texte établi et présenté par Maurice Saillet, « Le livre de poche », 1963.

Comte de Lautréamont, *les Chants de Maldoror, Œuvres complètes* d'Isidore Ducasse, précédés de *les Crimes du langage* par Hubert Juin, « Club-Géant », éd. de la Renaissance, 1967.

Lautréamont, *Œuvres complètes, les Chants de Maldoror, Poésies, Lettres,* chronologie et introduction par Marguerite Bonnet, éd. Garnier-Flammarion/poche, 1969.

Lautréamont (et Germain Nouveau), *Œuvres complètes,* texte établi, présenté et annoté par Pierre-Olivier Walzer, Bibliothèque de la Pléiade, éd. Gallimard, 1970.

OUVRAGES CRITIQUES

On trouvera une large bibliographie dans la thèse de Pierre Capretz *Quelques sources de Lautréamont* (Sorbonne, 1950), ainsi que dans l'édition J. Corti des *Œuvres complètes* de Lautréamont et l'ouvrage de Michel Philip cité ci-dessous.

Léon-Pierre Quint, *Le Comte de Lautréamont et Dieu,* les Cahiers du Sud, 1928 ; éd. Fasquelle, 1967.

Gaston Bachelard, *Lautréamont,* éd. J. Corti, 1939 ; nouv. éd. augmentée, 1956.

Philippe Soupault, *Lautréamont,* coll. « Poètes d'aujourd'hui », éd. Seghers, 1946.

Marcel Jean et Arpad Mezei, *Maldoror, essai sur Lautréamont et son œuvre,* suivi de *Notes et Pièces justificatives,* éd. du Pavois, 1947 : rééd. Nizet, 1959.

Maurice Blanchot, *Lautréamont et Sade,* deux études distinctes sur Sade et Lautréamont : la plus longue est consacrée à Lautréamont avec le texte des *Chants de Maldoror,* coll. « Arguments », éd. de Minuit, 1949.

Jean-Pierre Soulier, *Lautréamont : génie ou maladie mentale,* Genève, éd. Droz, 1964.
Paul Zweig, *Lautréamont ou les Violences du Narcisse,* coll. « Archives des Lettres modernes », éd. M.-J. Minard, 1967.
Marcelin Pleynet, *Lautréamont par lui-même,* coll. « Ecrivains de toujours », éd. du Seuil, 1967.
Philippe Sollers, « La science de Lautréamont », in *Logiques,* coll. « Tel Quel », éd. du Seuil, 1968 ; repris dans *l'Ecriture et l'Expérience des limites,* coll. « Points », éd. du Seuil, 1971.
Peter W. Nesselroth, *Lautreamont's Imagery. A stylistic approach,* Genève, éd. Droz, 1969.
François Caradec, *Isidore Ducasse, comte de Lautréamont,* coll. « Les vies perpendiculaires », éd. la Table ronde, 1970.
Edouard Peyrouzet, *Vie de Lautréamont,* éd. Grasset, 1970.
Michel Philip, *Lectures de Lautréamont,* coll. « U 2 », éd. A. Colin, 1971.
Robert Faurisson, *A-t-on lu Lautréamont ?,* coll. « Les essais », éd. Gallimard, 1972.
Alvaro Guillot-Munoz, *Lautréamont à Montevideo,* publication de « La Quinzaine littéraire », 1972.

Signalons en outre d'importants ensembles critiques dans des revues, comme *les Cahiers du Sud* (« Lautréamont n'a pas cent ans », n° 275, août 1946), *l'Arc* (n° 33, 1967) ou *Entretiens* (n° 30, 1971).

Apollinaire

ÉDITIONS

Guillaume Apollinaire, *Œuvres poétiques,* texte établi, présenté et annoté par P.-M. Adéma et Michel Décaudin, préface d'André Billy, Bibliothèque de la Pléiade, éd. Gallimard, 1956. (Est annoncée la publication de deux autres tomes comprenant les œuvres en prose, ainsi qu'une refonte de ce volume.)
En complément : *Album Apollinaire,* Pléiade, 1971.
Guillaume Apollinaire, *Œuvres complètes,* édition établie sous la direction de Michel Décaudin, préface de Max-Pol Fouchet, introduction et notes de M. Décaudin, iconographie établie par P.-M. Adéma, A. Balland et J. Lecat édit., 1965-1966. Quatre volumes de texte et quatre coffrets de documents (cette édition ne comporte ni les *Lettres à Lou,* ni les textes repris dans *les Diables amoureux,* ni les ouvrages érotiques).

Guillaume Apollinaire, *Les Diables amoureux* (préfaces et textes divers consacrés à des écrivains « érotiques »), présenté et annoté par Michel Décaudin, éd. Gallimard, 1964.

Guillaume Apollinaire, *Lettres à Lou,* préface et notes de Michel Décaudin, éd. Gallimard, 1969.

— *Les Onze mille Verges,* éd. L'or du temps, 1968.

— *Les Exploits d'un jeune don Juan,* éd. L'or du temps, 1970.

— *L'Enchanteur pourrissant,* édition critique par Jean Burgos, éd. M.-J. Minard, 1972.

OUVRAGES CRITIQUES

André Billy, *Apollinaire,* coll. « Poètes d'aujourd'hui », éd. Seghers, 1947.

Robert Goffin, *Entrer en poésie,* Bruxelles, A l'enseigne du chat qui pêche, 1948.

P.-M. Adéma, *Guillaume Apollinaire le mal-aimé,* éd. Plon, 1952 ; repris et complété dans *Guillaume Apollinaire,* éd. la Table ronde, 1968.

Jeanine Moulin, *Guillaume Apollinaire : textes inédits,* Genève, éd. Droz, 1952.

Pierre Guiraud, *Index du vocabulaire du symbolisme,* fasc. 1 : *Index des mots d'Alcools d'Apollinaire,* Klincksieck, 1953.

J. Lawler, *Style et Poétique chez Apollinaire,* thèse dactylographiée (Sorbonne, 1954).

Pascal Pia, *Apollinaire par lui-même,* coll. « Ecrivains de toujours », éd. du Seuil, 1954.

André Rouveyre, *Amour et Poésie d'Apollinaire,* éd. du Seuil, 1955.

Marie-Jeanne Durry, *Guillaume Apollinaire : Alcools,* SEDES, t. I, 1956 ; t. II et III, 1964.

Michel Décaudin, *La Crise de valeurs symbolistes,* Toulouse, éd. Privat, 1960.

— *Dossier d'Alcools,* Genève, éd. Droz, 1960 ; nouv. édit. revue, 1965.

Margaret Davies, *Apollinaire,* Edimburg and London, Oliver and Boyd, 1964.

A. Fonteyne, *Apollinaire prosateur,* éd. Nizet, 1964.

R. Couffignal, *L'Inspiration biblique dans l'œuvre d'Apollinaire,* « Bibliothèque des Lettres modernes », éd. M.-J. Minard, 1966 (du même : *Apollinaire,* coll. « Les écrivains devant Dieu », éd. Desclée de Brouwer, 1966).

S. Bates, *Guillaume Apollinaire,* New York, Twayne Publishers inc., 1967.

Jean-Pierre Richard, « Etoiles chez Apollinaire », in *De Ronsard à Breton,* Hommages à Marcel Raymond, éd. J. Corti, 1967.

F. Simonis, *Die lyrik Guillaume Apollinaire,* Bonn, Bouvier und Verlag, 1967.
Claude Bonnefoy, *Apollinaire,* « Classiques du XXe siècle », éd. Universitaires, 1969.
L.-C. Breunig, *Guillaume Apollinaire,* New York and London, Columbia University Press, 1969.
Philippe Renaud, *Lecture d'Apollinaire,* Lausanne, éd. l'Age d'homme (diffusion Maspéro), 1969.
Jean-Claude Chevalier, *Alcools d'Apollinaire : essai d'analyse des formes poétiques,* coll. « Lettres modernes », éd. M.-J. Minard, 1970.

On trouvera en outre de récentes informations sur la connaissance moderne d'Apollinaire dans :

Jean-Claude Chevalier, « Apollinaire et la critique », *Europe,* n°s 451-452, nov.-déc. 1966.
Michel Décaudin : *Un bilan et des perspectives : Apollinaire en 1968,* « Guillaume Apollinaire 8 », La revue des Lettres modernes, 1969.

On signalera enfin les importants travaux de la série des « Lettres modernes », M.-J. Minard édit. (notamment « Guillaume Apollinaire ; méthodes et approches critiques », n°s 276-279, 1971 et 327-330, 1972) et certains numéros spéciaux de revues (*les Cahiers du Sud,* n°s 451-452, nov.-déc. 1966).

Eluard

ÉDITIONS

Paul Eluard, *Œuvres poétiques complètes,* édition établie par Lucien Schéler et Marcelle Dumas, 2 vol., Bibliothèque de la Pléiade, éd. Gallimard, 1968 ; à compléter par l'*Album Eluard,* Pléiade.
Paul Eluard, *Choix de poèmes,* éd. Gallimard, 1941 ; nouv. éd. augmentée et mise à jour, 1951.
Paul Eluard, *Première Anthologie de la poésie vivante du passé,* 2 vol., éd. Seghers, 1951.
Paul Eluard, *Anthologie des écrits sur l'art,* éd. du Cercle d'art, 3 vol., 1952, 1953, 1954 (*les Frères voyants* repris aux éd. Gonthier, et l'ensemble, en 1972, aux éd. du « Livre club Diderot »).
Paul Eluard, *Lettres de jeunesse,* documents réunis par Cécile Valette-Eluard et présentés par Robert D. Valette, éd. Seghers, 1962.
Paul Eluard, *Le Poète et son Ombre,* textes inédits, notes, documents, présentés par Robert D. Valette, éd. Seghers, 1963.

OUVRAGES CRITIQUES

Louis Parrot, *Paul Eluard,* coll. « Poètes d'aujourd'hui », n° 1, éd. Seghers, 1945 ; rééd. en 1948 ; nouv. éd. enrichie et complétée en 1960, avec une postface de Jean Marcenac.

Michel Carrouges, *Eluard et Claudel,* éd. du Seuil, 1945.

René Gaffé, *Paul Eluard,* le Cheval ailé, Bruxelles, 1945.

Gaëtan Picon, « Tradition et découverte chez Paul Eluard », in *Fontaine,* mars 1947 ; repris dans « L'usage de la lecture », éd. du Mercure de France, 1960.

Pierre Emmanuel, *Le Je universel dans l'œuvre d'Eluard,* GLM, 1948 ; repris dans *le Monde est intérieur,* éd. du Seuil, 1967.

Claude Roy, « Paul Eluard », in *Descriptions critiques,* éd. Gallimard, 1949 (du même : « Eluard jusqu'à la fin », in *Nous,* éd. Gallimard, 1972).

Les Cahiers du Sud, n° 315, 1952 : ensemble de textes sur *Paul Eluard.*

Europe, n° 91-92, juillet-août 1953 : premier numéro spécial sur *Eluard,* de caractère surtout commémoratif.

Europe, n° 403, novembre 1962 : second numéro spécial contenant de très importantes études critiques sur tous les aspects de l'œuvre et du langage poétique d'*Eluard.* Les deux numéros (91-92 et 403) ont été réunis en un unique volume en 1972.

Promesse, n° 6, 1963 : *Eluard 62 et les Problèmes de l'art engagé.*

Jean Onimus, *Les Images de Paul Eluard,* Annales de la faculté des lettres d'Aix, t. 37, 1963.

Louis Perche, *Eluard,* « Classiques du XXe siècle », éd. Universitaires, 1964.

Luc Decaunes, *Paul Eluard,* éd. Subervie, 1964.

Jean-Pierre Richard, « Paul Eluard », in *Onze Etudes sur la poésie moderne,* éd. du Seuil, 1969.

Georges Poulet, « Eluard », in *le Point de départ* (*Etudes sur le temps humain,* III), éd. Plon, 1964.

Heinrich Eglin, *Liebe und Inspiration im Werk von Paul Eluard,* Francke, Berne et Münich, 1965.

Maryvonne Meuraud, *L'Image végétale dans la poésie d'Eluard,* coll. « Lettres modernes », éd. M.-J. Minard, 1966.

Eluard : Livre d'identité, par Cécile et Robert D. Valette, éd. Tchou, 1967.

Attle Kittang, *L'Univers des métamorphoses dans l'œuvre d'Eluard,* coll. « Lettres modernes », éd. M.-J. Minard, 1968.

Raymond Jean, *Paul Eluard par lui-même,* coll. « Ecrivains de toujours », éd. du Seuil, 1968.

Gabrielle Poulin, *Les Miroirs d'un poète : images et reflets de Paul Eluard,* coll. « Essais pour notre temps », éd. Desclée de Brouwer et éd. Bellarmin, Montréal, 1969.

Cahiers Paul Eluard, n°s 1, 2, 3, à l'université de Nice, sous la direction de Michel Launay, 1972-1973.
Europe, n° 525, déc. 1972 (colloque Paul Eluard à Nice, mai 1972), troisième numéro spécial.

Nous incluons dans cette liste des numéros de revues parce qu'ils ont valeur de livres.

Ouvrages cités dans l'introduction

Ces ouvrages sont donnés comme points de repère. Ils ne sauraient en aucun cas constituer une bibliographie au sens strict du mot. Nous les présentons ici dans l'ordre des citations.

Tzvetan Todorov, *Poétique de la prose,* coll. « Poétique », éd. du Seuil, 1971 ; (du même : *Introduction à la littérature fantastique,* coll. « Poétique », éd. du Seuil, 1970).
Jean Starobinski, *La Relation critique (L'œil vivant II),* coll. « Le chemin », éd. Gallimard, 1970.
Jacques Lacan, *Ecrits,* éd. du Seuil, 1966 ; repris en deux volumes, *Ecrits I* et *Ecrits II* dans la coll. « Points », éd. du Seuil, 1970-1971.
Michel Foucault, *Histoire de la folie à l'âge classique,* éd. Plon, 1961 ; repris en édition abrégée, coll. 10/18, 1964 et Gallimard, 1973.
Laplanche et Pontalis, *Vocabulaire de la psychanalyse,* éd. Presses universitaires de France, 1968.
Michel Butor, *Répertoire III,* coll. « Critique », éd. de Minuit, 1968.
Robert Benayoun, *Erotique du surréalisme,* éd. J.-J. Pauvert, 1965.
Entretiens de Francis Ponge avec Philippe Sollers, éd. Gallimard/Seuil, 1970.
Théorie d'ensemble, coll. « Tel Quel », éd. du Seuil, 1968.
Herbert Marcuse, *Eros et Civilisation, contribution à Freud,* coll. « Arguments », éd. de Minuit, 1963 ; repris dans la collection « Points », éd. du Seuil, 1971.
Alain Robbe-Grillet, *Pour un nouveau roman,* éd. de Minuit et coll. « Idées », éd. Gallimard, 1963.
Roland Barthes, *Sade, Fourier, Loyola,* coll. « Tel Quel », éd. du Seuil, 1971.
Noam Chomsky, *La Linguistique cartésienne,* suivi de *la Nature formelle du langage,* coll. « L'ordre philosophique », éd. du Seuil, 1969.

Gérard Genette, *Figures I, II, III,* coll. « Tel Quel » et « Poétique », éd. du Seuil, 1966, 1969, 1972.

Emile Benvéniste, *Problèmes de linguistique générale,* Bibliothèque des sciences humaines, éd. Gallimard, 1966.

Octavio Paz, *L'Arc et la Lyre,* trad. de Roger Munier, coll. « Les essais », éd. Gallimard, 1965.

Henri Meschonnic, *Pour la poétique I, II et III,* coll. « Le chemin », éd. Gallimard, 1970.

Roman Jakobson, *Essais de linguistique générale,* coll. « Arguments », éd. de Minuit, 1963 .

Table analytique

Nerval

Lautréamont

Apollinaire

Eluard

La réimpression de cet ouvrage
par procédé photomécanique
a été réalisée sur les presses
des Imprimeries Aubin
à Poitiers/Ligugé

D. L. 4e TR. 1977. N° 4718 (L 9930)

Collection Points

1. Histoire du surréalisme, *par Maurice Nadeau*
2. Une théorie scientifique de la culture, *par Bronislaw Malinowski*
3. Malraux, Camus, Sartre, Bernanos, *par Emmanuel Mounier*
4. L'Homme unidimensionnel, *par Herbert Marcuse*
5. Ecrits I, *par Jacques Lacan*
6. Le Phénomène humain, *par Pierre Teilhard de Chardin*
7. Les Cols blancs, *par C. Wright Mills*
8. Stendhal, Flaubert, *par Jean-Pierre Richard*
9. La Nature dé-naturée, *par Jean Dorst*
10. Mythologies, *par Roland Barthes*
11. Le Nouveau Théâtre américain, *par Franck Jotterand*
12. Morphologie du conte, *par Vladimir Propp*
13. L'Action sociale, *par Guy Rocher*
14. L'Organisation sociale, *par Guy Rocher*
15. Le Changement social, *par Guy Rocher*
16. Les Etapes de la croissance économique, *par W. W. Rostow*
17. Essais de linguistique générale, *par Roman Jakobson*
18. La Philosophie critique de l'histoire, *par Raymond Aron*
19. Essais de sociologie, *par Marcel Mauss*
20. La Part maudite, *par Georges Bataille*
21. Ecrits II, *par Jacques Lacan*
22. Éros et Civilisation, *par Herbert Marcuse*
23. Histoire du roman français depuis 1918, *par Claude-Edmonde Magny*
24. L'Écriture et l'Expérience des limites, *par Philippe Sollers*
25. La Charte d'Athènes, *par Le Corbusier*
26. Peau noire, Masques blancs, *par Frantz Fanon*
27. Anthropologie, *par Edward Sapir*
28. Le Phénomène bureaucratique, *par Michel Crozier*
29. Vers une civilisation du loisir ? *par Joffre Dumazedier*
30. Pour une bibliothèque scientifique, *par François Russo*
31. Lecture de Brecht, *par Bernard Dort*
32. Ville et Révolution, *par Anatole Kopp*
33. Mise en scène de Phèdre, *par Jean-Louis Barrault*
34. Les Stars, *par Edgar Morin*
35. Le Degré zéro de l'écriture *suivi de* Nouveaux Essais critiques, *par Roland Barthes*
36. Libérer l'avenir, *par Ivan Illich*
37. Structure et Fonction dans la société primitive, par *A. R. Radcliffe-Brown*
38. Les Droits de l'écrivain, *par Alexandre Soljénitsyne*
39. Le Retour du tragique, *par Jean-Marie Domenach*
40. Keynes, *par Michael Stewart*
41. La Concurrence capitaliste, *par Jean Cartell et P.-Y. Cossé*

42. Mise en scène d'Othello, *par Constantin Stanislavski*
43. Le Hasard et la Nécessité, *par Jacques Monod*
44. Le Structuralisme en linguistique, *par Oswald Ducrot*
45. Le Structuralisme : Poétique, *par Tzvetan Todorov*
46. Le Structuralisme en anthropologie, *par Dan Sperber*
47. Le Structuralisme en psychanalyse, *par Moustafa Safouan*
48. Le Structuralisme : Philosophie, *par François Wahl*
49. Le Cas Dominique, *par Françoise Dolto*
50. Comprendre l'économie, *par Eliane Mossé*
51. Trois Essais sur le comportement animal et humain, *par Konrad Lorenz*
52. Le Droit à la ville, *suivi de* Espace et Politique, *par Henri Lefebvre*
53. Poèmes, *par Léopold Sédar Senghor*
54. Les Elégies de Duino, les Sonnets à Orphée, *par Rainer Maria Rilke*
55. Pour la sociologie, *par Alain Touraine*
56. Traité du caractère, *par Emmanuel Mounier*
57. L'Enfant, sa « maladie » et les autres, *par Maud Mannoni*
58. Langage et Connaissance, *par Adam Schaff*
59. Une saison au Congo, *par Aimé Césaire*
60. Une tempête, par *Aimé Césaire*
61. Psychanalyser, *par Serge Leclaire*
62. Le Budget de l'Etat, *par Jean Rivoli*
63. Mort de la famille, *par David Cooper*
64. A quoi sert la Bourse ?, *par Jean-Claude Leconte*
65. La Convivialité, *par Ivan Illich*
66. L'idéologie structuraliste, *par Henri Lefebvre*
67. La Vérité des prix, *par Hubert Lévy-Lambert*
68. Pour Gramsci, *par Maria-Antonietta Macciocchi*
69. Psychanalyse et Pédiatrie, *par Françoise Dolto*
70. S/Z, *par Roland Barthes*
71. Poésie et Profondeur, *par Jean-Pierre Richard*
72. Le Sauvage et l'Ordinateur, *par Jean-Marie Domenach*
73. Introduction à la littérature fantastique, *par Tzvetan Todorov*
74. Figures I, *par Gérard Genette*
75. Dix Grandes Notions de la sociologie, *par Jean Cazeneuve*
76. Mary Barnes, un voyage à travers la folie, *par Mary Barnes et Joseph Berke*
77. L'Homme et la Mort, *par Edgar Morin*
78. Poétique du récit, *par Roland Barthes, Wolfgang Kayser, Wayne Booth et Philippe Hamon*
79. Les Libérateurs de l'amour, *par Alexandrian*
80. Le Macroscope, *par Joël de Rosnay*
81. Délivrance, *par Maurice Clavel et Philippe Sollers*
82. Système de la peinture, *par Marcelin Pleynet*
83. Pour comprendre les médias, *par Marshall Mc Luhan*
84. L'Invasion pharmaceutique, *par Jean-Pierre Dupuy et Serge Karsenty*
85. Huit Questions de poétique, *par Roman Jakobson*
86. Lectures du désir, *par Raymond Jean*